CLAUDETTE CORNAIRE

LE POINT
SUR LA LECTURE
EN DIDACTIQUE

© 1991, Centre Éducatif et Culturel inc.
8101, boul. Métropolitain, Anjou (Québec) H1J 1J9

Tous droits réservés

Dépôt légal: 3ᵉ trimestre 1991
Bibliotthèque nationale du Québec
Bibliothèque nationale du Canada

ISBN: 2 7617 0976-4

Imprimé au Canada

REMERCIEMENTS

Dès les premières lignes de cet ouvrage, je tiens à remercier tous ceux qui m'ont aidée, tous ceux sans lesquels ce travail n'aurait pas été possible. Merci à Patricia Raymond et à Renée Godbout. Je ne saurais oublier Lucien Courbin qui a bien voulu assumer la tâche de dactylographie et qui a su m'aider avec efficacité. Je dois également un grand merci à Raymond LeBlanc qui a bien voulu relire le texte et faire plusieurs suggestions. Enfin, je tiens à exprimer ici toute ma reconnaissance à Monique Duplantie et à Claude Germain pour leurs précieux conseils sur l'ensemble de l'ouvrage.

AVANT-PROPOS

L'acte de lire est une activité d'une très grande complexité, qui suppose un lecteur, un texte et, partant, une interaction entre un lecteur et un texte. C'est à l'étude des diverses facettes de cette complexité que nous convie Claudette Cornaire, professeur de français langue seconde à l'Université d'Ottawa, dans un ouvrage qui tente, pour la première fois dans le domaine de la didactique des langues secondes ou étrangères, et de surcroît en langue française, de brosser un tour d'horizon complet de la question.

Après avoir jeté un bref coup d'oeil rétrospectif sur la place qu'occupe la lecture dans cinq approches (traditionnelle, structuro-behavioriste, structuro-globale audio-visuelle, cognitive et communicative), Mme Cornaire examine les recherches passées et récentes menées dans le domaine de la lecture, en faisant ressortir les principes qui font plus ou moins l'unanimité chez les spécialistes de la question. Comme les recherches sur la lecture en langue seconde trouvent surtout leur appui dans les travaux effectués sur la lecture en langue maternelle, anglaise notamment, c'est à partir de ces travaux que débute son bilan. Dans cette perspective, elle s'intéresse tout d'abord au lecteur, à l'interaction entre le lecteur et le texte et enfin au texte en prenant soin, dans chaque cas, de faire ressortir la spécificité de la lecture en langue seconde, en regard des travaux portant sur la langue maternelle.

C'est ainsi que sont examinées diverses dimensions relatives au lecteur: perception visuelle, organisation de la mémoire et traitement de l'information, modèles du processus de lecture, ainsi qu'habiletés et stratégies du bon lecteur. Les études portant sur l'interaction entre le lecteur et le texte se trouvent synthétisées dans les modèles de compréhension de Deschênes (1988) et de Moirand (1979). Quant aux recherches sur le texte, elles concernent les formules de lisibilité, la structure textuelle, les études contextuelles ainsi que les études sémantiques.

Le bilan de ces quelques travaux de recherche permet de mettre en évidence certains points de repère susceptibles de guider les interventions de l'enseignant de langue seconde. À cet égard, Mme Cornaire ébauche un cadre de travail à l'intention du professeur de langue seconde, en s'attachant d'abord au projet de lecture ainsi qu'aux différentes étapes de lecture et, enfin, à l'enseignement de stratégies de lecture.

Dans la dernière partie de son ouvrage, Mme Cornaire se livre prudemment à un exercice de prospective, sous la forme de quelques directions de recherches à explorer, tant sur le plan du lecteur que sur celui du texte. Il ressort que le grand défi de l'avenir dans le domaine de la lecture en langue seconde sera de maintenir en équilibre les caractéristiques du lecteur, entre autres ses intérêts, ses connaissances antérieures et les caractéristiques du texte, tels les critères de sélection, la structure textuelle, etc.

Claude Germain   Université du Québec à Montréal

TABLE DES MATIÈRES

PREMIÈRE PARTIE

Coup d'oeil rétrospectif

CHAPITRE 1

La place de la lecture dans quelques approches

L'histoire de l'enseignement des langues secondes habitue aux changements avec sa suite d'alternances de positions divergentes, voire souvent contradictoires, au fil des approches diverses qui se sont succédé. L'enseignement de la langue écrite, et par ricochet celui de la lecture, ont suivi cette sorte de «mouvement de pendule» qui a conduit à les mettre tour à tour à l'honneur ou entre parenthèses dans les programmes d'enseignement, et cela au rythme des courants de pensée qui se sont manifestés aux différentes époques.

Parmi les approches ou les courants de pensée qui ont influencé la didactique des langues, nous ne retiendrons que les plus marquants, plus précisément l'approche traditionnelle, l'approche structuro-behavioriste, l'approche structuro-globale audio-visuelle, l'approche cognitive et l'approche communicative. Un bref retour sur chaque approche et sur son orientation théorique sous-jacente nous permettra de mieux comprendre cette discipline en voie de constitution qu'est l'enseignement / apprentissage de la lecture en langue seconde et de mettre en lumière les lignes de force des expériences antérieures.

L'approche traditionnelle

Il est assez difficile de dater précisément le début ou la fin de chaque période. Disons tout au plus que l'approche dite traditionnelle, et qui servait surtout à enseigner les langues classiques comme le grec et le latin, a été appliquée à l'étude des langues vivantes dès la fin du XVIe siècle. Elle a connu un grand succès au XIXe siècle et elle a continué à être utilisée dans les pays de culture européenne et en Amérique du Nord jusque vers la fin des années cinquante.

L'approche traditionnelle s'appuyait sur l'hypothèse qu'il existe une structure universelle des langues et que ce sont les mots (le vocabulaire) qui sont principalement responsables des différences qui existent entre elles. De plus, l'écrit et en particulier la littérature étaient considérés comme des modèles d'apprentissage de la langue et il importait donc que l'apprenant ait accès à ce type de texte.

Lire consistait alors à être capable d'établir des correspondances entre la langue maternelle et la langue seconde (étrangère) par le biais de la traduction. Un solide bagage lexical (acquis à partir de listes de mots), des connaissances grammaticales (acquises à partir de règles que l'on retrouvait appliquées dans les textes des grands auteurs) et la pratique systématique d'exercices de versions et de thèmes prétendaient garantir le succès de la démarche, c'est-à-dire le passage d'un savoir à un savoir-faire optimal.

Il est clair qu'une telle démarche linéaire et somme toute assez artificielle, s'appuyant sur un réseau d'équivalences entre deux langues, ne préparait certainement pas à un véritable apprentissage de la lecture car il s'agissait tout au plus d'un entraînement à la traduction et à l'analyse de texte.

L'approche structuro-behavioriste

L'approche structuro-behavioriste tire ses origines de la méthode que l'armée des États-Unis a mise sur pied vers 1945 pour donner une formation rapide et efficace en langues étrangères à son personnel. Cette rénovation méthodologique sera par la suite étendue à l'enseignement général des langues avec l'implantation de la méthode audio-orale. Les bases théoriques de cette approche reposent sur le modèle structuraliste bloomfieldien associé aux théories behavioristes sur le conditionnement.

De façon plus concrète, cette approche perçoit l'apprentissage d'une langue comme un processus mécanique. Dans ce processus, l'étudiant acquiert des séries de micro-systèmes (faisant partie du système linguistique à apprendre), par le truchement de l'exercice qui favorise la création d'habitudes ou d'automatismes consolidés ensuite par le renforcement.

L'objectif visé désormais est l'apprentissage de la langue orale; la langue écrite, en particulier la lecture, n'est abordée que lorsque l'apprenant est censé avoir maîtrisé le système phonologique de la langue. On ne lit que ce que l'on a appris oralement, ce qui signifie que l'écrit est en relation de dépendance par rapport à l'oral.

De façon générale, le matériel didactique courant de l'époque (1960 à 1970) pour le français, l'allemand, le russe et l'espagnol contenait certains textes qui suivaient une progression grammaticale rigoureuse et qui portaient sur des sujets de la vie quotidienne. Ces textes étaient proposés aux étudiants à la fin de chaque leçon; la lecture se faisait à haute voix en insistant sur la bonne prononciation des syllabes ou du mot, et l'activité se terminait le plus souvent par quelques questions de compréhension du texte, auxquelles on répondait oralement.

À envisager les choses ainsi, la lecture n'était rien de plus qu'un autre type d'exercice systématique (drill), et une façon plus ou moins avouée de renforcer l'oral, sans volonté de préparer l'étudiant à « lire le sens » du message.

L'approche structuro-globale audio-visuelle

C'est à Guberina, de l'Institut de Phonétique de l'Université de Zagreb en Yougoslavie, que revient le mérite d'avoir proposé en 1953 les premières formulations théoriques de l'approche structuro-globale audio-visuelle, que l'on appelle aussi approche SGAV. Guberina (1965), en s'appuyant sur la théorie de la Gestalt (une perception globale de la forme), soutient que dans l'apprentissage d'une langue étrangère tout l'effort doit porter sur la compréhension du sens global de la structure, une organisation linguistique formelle, et que cette perception sera facilitée si les éléments « audio » et « visuel » sont présents, puisque l'apprentissage d'une langue étrangère se fait à partir des sens, – de l'oreille et de la vue –.

Voix et Images de France (1962) qui a connu un vif succès dans les années soixante est une mise en pratique de ces principes. À partir de situations présentées en images, la méthode se proposait d'enseigner la langue comme moyen d'expression et de communication. Si les quatre habiletés sont présentées dans la méthode, il faut cependant noter que les textes de lecture n'apparaissent qu'à partir de la leçon 22 (cours du premier degré). Notons que l'entraînement à la lecture se fait en enseignant le rythme, l'intonation; en apprenant à l'étudiant à ménager des pauses, à faire des liaisons, à placer l'accent tonique, etc. L'imitation juste de l'intonation et du rythme prime sur la compréhension du message, ce qui revient à dire que l'écrit est sacrifié à la langue parlée et plus particulièrement à la prononciation qui demeure l'élément essentiel de l'enseignement d'une langue étrangère.

L'approche cognitive

Au début des années soixante-dix, les cognitivistes comme Ausubel, et Carroll (1971) pour les langues, avancent un nouveau modèle d'explication de l'apprentissage. Encore pratiquée aujourd'hui, cette approche beaucoup plus souple, a été appliquée à l'enseignement des langues. Elle a été perçue comme une tentative de moderniser l'approche traditionnelle en utilisant certaines lignes de force de l'approche structuro-behavioriste.

La nouvelle approche se fondait sur les principes psychologiques suivants: pour comprendre l'apprentissage, il faut tenir compte de la structure cognitive de l'apprenant, la structure cognitive étant le système des connaissances organisées en catégories de concepts ou en d'autres termes, l'ensemble du monde intérieur du sujet, sa « théorie du monde dans la tête », comme l'a dit Smith (1971). Pour les cognitivistes l'habileté à comprendre, à saisir un message, se trouve au coeur même de toutes les activités de communication et d'apprentissage, et l'apprenant (avec son style cognitif particulier) en est l'élément principal. La nouvelle approche, appliquée à la didactique des langues, reprendra ces idées en insistant sur le fait qu'il faut sans doute créer des automatismes, mais qu'il ne faut pas négliger pour autant le phénomène de la compréhension, c'est-à-dire le traitement de l'information par l'apprenant en quête active de sens.

Dans la foulée, on enregistre également certains changements dans les recherches en linguistique, et on semble alors délaisser la forme des mots pour s'intéresser à l'étude de leur sens, à leur relation entre eux et à la compréhension du message. Cette insistance sur le contenu resitue le vocabulaire dans une autre perspective en lui attribuant un rôle essentiel dans l'étude de la langue et, parallèlement, l'écrit est aussi l'objet d'un regain d'intérêt.

Dans le cadre de cette nouvelle approche quelques théoriciens - praticiens (entre autres, Chastain 1976) proposent une nouvelle démarche de lecture en langue seconde en insistant sur le fait que la recherche du sens doit être l'objectif principal. Ils suggèrent également que cet apprentissage se fasse au moyen d'une gamme de documents variés qui auront pour effet non seulement de motiver l'étudiant mais aussi de lui donner d'excellents moyens d'acquérir du vocabulaire.

On doit toutefois noter que les activités de lecture proposées en salle de classe, et cela jusqu'au début des années quatre-vingt, ne semblent pas vraiment refléter les nouvelles orientations de la recherche. C'est ce qui ressort d'un examen rapide de quelques ensembles pédagogiques proposés pour le français langue seconde (*Découverte et création*, Jian et Hester 1974; *Le français international*, niveau 5, deuxième version, Calvé et Godbout 1975; *Le français international*, niveau 6, Calvé et McNulty 1979).

Certes, les sections « lecture » figurent en bonne place, mais aucune attention particulière n'est accordée aux stratégies de compréhension du sens ni au caractère particulier des situations de lecture en langue seconde, et tout se passe comme si lire signifiait pouvoir répondre à un certain nombre de questions de compréhension portant sur l'ensemble d'un texte.

Malgré ces difficultés et en dépit du rôle un peu effacé qu'a eu à l'époque l'approche cognitive, le recul permet de voir la contribution qu'elle a apportée à l'enseignement des langues et à celui de l'écrit en particulier. Elle semble, entre autres, être à l'origine de ce vaste mouvement de centration sur l'apprenant et de l'accent mis sur le développement de la compréhension, c'est-à-dire de l'appropriation du sens d'un texte. C'est également grâce à ce mouvement que s'est amorcée la réflexion sur le rôle de l'écrit, réflexion qui a certainement aidé à préparer le terrain pour réhabiliter l'enseignement de la lecture.

L'approche communicative

La didactique des langues, qui traversait une certaine remise en cause des fondements des méthodes audio-orales et audio-visuelles, reçoit au début des années soixante-dix un apport théorique considérable avec les travaux de Hymes qui mettent un accent particulier sur les aspects sociaux du langage (« On Communicative competence »). En 1975, le *Threshold Level English* sera publié et il ouvrira la voie à un autre ouvrage d'importance: *Un Niveau-seuil*, paru en 1976. De ces différentes recherches va naître l'approche communicative qui repose sur le principe que la langue est un instrument de communication, et surtout d'interaction sociale. Apprendre une langue, c'est apprendre à communiquer et désormais ce sont les besoins de communication de l'apprenant qui devront dicter les choix des pratiques pédagogiques ainsi que des contenus à présenter. Dans la salle de classe, cette quête de communication réelle va se manifester sous la forme d'un mouvement vers l'authenticité. Pour ce qui est des contenus, on va en effet privilégier les documents authentiques, c'est-à-dire non pas ceux qui ont été spécialement préparés pour la salle de classe mais plutôt ceux qui apparaissent les plus susceptibles de servir efficacement la communication. Nous aborderons la notion d'authenticité au chapitre 6. Une publication sur ce sujet est également mentionnée en bibliographie (Duplantie 1986).

La diversité des besoins des apprenants conduit alors à s'interroger sur la place de l'écrit dans l'enseignement des langues. L'écrit va commencer à prendre de plus en plus d'importance, importance que l'approche cognitive avait d'ailleurs tenté de lui reconnaître. Cette réhabilitation de l'écrit, et en particulier de la lecture, ne signifie pas pour autant un retour aux méthodes classiques d'enseignement de la lecture; au contraire, on insiste maintenant sur le fait que l'acte de lire s'inscrit dans un processus de communication au cours duquel le lecteur reconstruit un message à partir de ses propres objectifs de communication. Un premier constat s'impose alors: les pratiques de lecture, comme toutes les pratiques de communication, mettent en jeu une compétence complexe aux composantes multiples: composantes de maîtrise linguistique, textuelle, référentielle, situationnelle, etc.

Il n'est donc plus question d'enseigner l'écrit comme on le faisait autrefois, et les changements se concrétisent par l'apparition de matériels pédagogiques (propositions méthodologiques et manuels de classe) plus spécifiques, qui n'ont pas l'ambition de prendre en compte tous les besoins des apprenants. Dans le domaine de la méthodologie, en particulier, *Situations d'écrits* (Moirand 1979) a certainement représenté une étape très importante en proposant différents types de pratiques non linéaires pour l'apprentissage de la lecture en français langue seconde. Sans entrer dans les détails, on peut énoncer de façon schématique quelques-uns des points essentiels de l'ouvrage. Parmi les situations d'écrits, l'auteur souligne d'abord le rôle que peut jouer la presse, et énonce certaines propositions méthodologiques pour la lecture des textes informatifs. Du côté de cette pédagogie de la lecture, Moirand propose une démarche qui se décomposerait en deux phases: au tout début, il pourrait y avoir une première série de balayages de l'ensemble du texte, ce qui permettrait aux apprenants d'accéder au sens général, d'avoir une idée globale du contenu à partir de la reconnaissance d'indices porteurs de signification (titre, sous-titres, images, etc.). Cette première phase pourrait ensuite se poursuivre par une analyse plus fine des régularités d'ordre formel (articulateurs rhétoriques, éléments anaphoriques comme les pronoms, les adjectifs possessifs, démonstratifs, etc.), d'ordre thématique (données relatives à l'organisation du discours pour un domaine de référence particulier), d'ordre énonciatif (données relatives à la dimension pragmatique du texte, par exemple: qui écrit? pour qui? où? quand? etc.). Ces propositions méthodologiques ont été d'ailleurs mises en pratique pendant quelque temps pour l'enseignement de la lecture dans les cours de langues.

Le mouvement des idées n'est pas toujours parfaitement rectiligne ni limpide et ce rapide retour sur quelques approches aurait pu nous convaincre qu'en didactique des langues rien n'est jamais définitif, rien n'est acquis ni démontré une fois pour toutes. Pourtant, en y regardant d'un peu plus près, ces approches, et plus particulièrement les approches cognitive et communicative, nous ont légué de précieux apports. Retenons en particulier l'importance qu'elles ont accordée à la pédagogie de la lecture en redéfinissant ainsi son objectif principal: conduire l'étudiant à la recherche du sens et en redonnant à ce dernier un rôle clé dans son apprentissage. En effet, il faut désormais tenir compte des ressources de

l'apprenant en encourageant sa participation, en misant sur ses connaissances et en lui faisant prendre conscience de certaines stratégies à adopter dans la lecture de textes pour accéder à la compréhension des messages. La voie est ainsi ouverte pour assurer
des conditions d'apprentissage plus favorables.

DEUXIÈME PARTIE

Essai de synthèse

CHAPITRE 2

La lecture en langue maternelle

A) La perception visuelle

Comment l'oeil déchiffre-t-il un texte? La plupart des auteurs s'accordent pour affirmer que c'est Javal qui serait le premier à avoir abordé cette question au début du XXe siècle. Dans *Psychologie et lecture de l'écriture* (1905; cité par Richaudeau 1969:19), Javal décrit ainsi les mouvements des yeux et la prise d'information visuelle:

> «Dans un important travail exécuté par M. Lamarre à mon laboratoire, il a été démontré que, loin d'être continu, le mouvement horizontal des yeux pendant la lecture se fait par saccades. Le lecteur divise la ligne en un certain nombre de sections d'environ 10 lettres, qui sont vues grâce à des temps de repos rythmés; le passage d'une section à la suivante se fait par une saccade très vive, pendant laquelle la vision ne s'exerce pas».

De nombreuses études pour mieux comprendre le processus de lecture visuelle ont suivi ces premières recherches menées par Javal et ont montré en particulier que le lecteur débutant perçoit quelques syllabes d'un mot durant une fixation, et qu'il lui faut en général deux fixations pour percevoir un mot composé de deux ou trois syllabes. Par ailleurs, ses retours en arrière sont aussi fréquents et d'une assez longue durée. Toutefois, lorsque le lecteur devient plus expert, le nombre et la durée des fixations ainsi que les retours en arrière diminuent; l'empan perceptuel (la capacité perceptuelle) augmente et il perçoit alors plus d'un mot à la fois.

Concernant justement la durée des fixations, plusieurs études plus récentes menées vers la fin des années soixante-dix signalent que le lecteur adulte fait environ quatre fixations par seconde et qu'il perçoit en général huit caractères chaque fois, ce nombre pouvant aller jusqu'à vingt chez le lecteur expérimenté. Ces performances que l'on pourrait qualifier d'assez moyennes s'expliquent par le fait que la structure de l'oeil n'est pas uniforme. Ainsi, l'acuité est bonne au centre du champ visuel, mais elle a tendance à diminuer dès qu'elle s'en éloigne. Étant donné cette chute de l'acuité à une distance de quelques lettres à gauche et à droite du point de regard, le lecteur compétent ne peut pas identifier plus de deux ou trois mots au cours d'une fixation, la moyenne étant de 1,2 mot par fixation. Selon Smith (1971), le lecteur habile peut lire deux cents mots à la minute et maintenir une très bonne compréhension. En lecture rapide, toutefois, certains lecteurs peuvent parcourir jusqu'à mille mots à la minute. J.F. Kennedy lisait, paraît-il, des romans policiers à la vitesse de dix-huit mille mots à la minute, environ une page par seconde. Il est malheureusement rare que des tests de compréhension soient administrés à la suite de ces lectures rapides, et lorsqu'ils le sont c'est sous la forme de vrai ou faux, ou de questions à choix multiples qui visent à vérifier la compréhension des idées «très générales» du texte. On conçoit facilement qu'il n'est pas question que les lecteurs retiennent les moindres détails, mais on obtient ainsi une évaluation très approximative de la compréhension du fait même que les techniques utilisées pour la mesurer ont une validité assez réduite.

Contrairement à ce que l'on pourrait croire, les yeux ne sont en mouvement que 6 p.100 du temps pendant la lecture, le reste étant consacré aux fixations, comme certaines expériences l'ont montré (Singer 1983). Le temps durant lequel les yeux sont en mouvement paraît donc négligeable par rapport au temps total de lecture. En revanche, le temps alloué aux fixations est le plus important et pourrait dans certains cas être réduit, ce qui permettrait alors de pratiquer une lecture plus rapide. De plus, certaines études ont montré qu'il faut seulement de 1/30 à 1/40 de seconde pour percevoir les signes graphiques au cours d'une fixation, le reste étant consacré à la stabilisation et au traitement de l'information (Gilbert 1959). En nous appuyant sur ces données, la vitesse de lecture dépendrait donc davantage du temps qui est accordé au traitement de l'information, à partir du moment où l'oeil a perçu les signes graphiques, jusqu'au moment où l'information sélectionnée est transférée dans la mémoire à court terme. Bernhardt (1986), en comparant les mouvements des yeux de lecteurs expérimentés et de moins bons lecteurs en langue maternelle et en langue seconde, a montré que les fixations sont moins nombreuses et plus courtes chez le bon lecteur, du fait que l'information visuelle est traitée plus rapidement.

Au cours d'une lecture normale – par opposition à la lecture rapide où le sujet saute nécessairement de nombreux mots, et en particulier les mots prévisibles – quels sont les mots fixés le plus souvent? D'après les expériences menées par McConkie et Zola (1981), expériences qui font autorité dans le domaine, les lecteurs habiles fixent pratiquement chaque mot du texte, les mots les plus prévisibles étant fixés aussi souvent que les autres, bien que moins longtemps. De plus, on a constaté que ces mêmes lecteurs remarquaient infailliblement les fautes d'orthographe aussi insignifiantes fussent-elles.

Le virage technologique avec l'irruption de l'informatique semble avoir donné un nouvel essor aux études relatives aux mouvements des yeux. Ainsi, ces dernières années, l'intérêt des chercheurs s'est porté vers l'étude d'éventuels mouvements oculaires qui pourraient faciliter la reconnaissance du mot. En effet, il a été vérifié expérimentalement qu'il existe effectivement des avantages à fixer certains endroits dans le mot: le temps de fixation est le plus court quand l'oeil fixe initialement une position légèrement à gauche du centre du mot, c'est-à-dire la première partie du mot. Au cours de la lecture l'oeil peut-il atteindre facilement cette position privilégiée? Même si les résultats obtenus au cours des expériences sont prometteurs, il reste encore beaucoup de difficultés à surmonter pour entraîner l'oeil à pratiquer certains mouvements oculaires pendant la lecture, tout en essayant de tenir compte des contraintes imposées par la capacité de viser du système oculomoteur (c'est-à-dire le système qui commande les mouvements des yeux).

Par petits bonds successifs, plus précisément par saccades, voilà donc comment nos yeux procèdent lorsque nous lisons, bien que nous ayons l'impression qu'ils avancent sur une ligne de façon continue. Ces mouvements sont d'une durée très brève, environ 1/40 de seconde. De plus, l'oeil ne perçoit que lorsqu'il est immobile au cours des fixations qui durent environ 1/4 ou 1/3 de seconde. Les fixations chez le bon lecteur sont d'une durée plus brève que chez le lecteur moins expérimenté et il peut, au cours de chacune d'entre elles, identifier deux ou trois mots à la fois. À ces deux étapes de l'exploration visuelle (progression et fixation) on doit enfin ajouter la régression, ou le retour en arrière, qui se manifeste plus souvent chez le lecteur moins habile, ou lorsque le texte est plus difficile à lire.

On sait que la vitesse de lecture se module en fonction d'un projet particulier. En effet, en lisant un roman pour son plaisir on ne lit pas à la même vitesse qu'on lirait une note de service ou une page de journal. Cependant, le bon lecteur est celui qui, à l'occasion et s'il en a besoin, sait lire vite, sans pour cela sauter les mots prévisibles; la clé d'une lecture plus rapide, serait alors de pouvoir réduire la durée du temps consacré aux fixations.

B) L'organisation de la mémoire dans le traitement de l'information

Les travaux des psychologues cognitivistes ont permis de jeter un nouveau regard sur les processus mentaux mis en oeuvre dans les activités de traitement de l'information durant l'activité de lecture. Quelles sont leurs hypothèses concernant le mode d'organisation de la mémoire et son fonctionnement dans les activités de traitement de l'information, et en particulier durant la lecture?

Parler de traitement de l'information sous-entend l'existence d'un dispositif d'accueil, c'est-à-dire d'un centre de données vers lequel les informations convergent et que l'on appelle la mémoire. Les psychologues ont établi une distinction théorique entre trois niveaux de mémoire: la réserve sensorielle, la mémoire à court terme et la mémoire à long terme (Smith 1978). Comment ces trois niveaux opèrent-ils en situation de lecture?

La réserve sensorielle capte les premières impressions visuelles sous forme d'images des mots qu'elle va retenir durant un quart de seconde environ. Elle procède ensuite à une première sélection dans le corpus d'information et achemine ces mots vers la mémoire à court terme; celle-ci va alors attribuer un sens aux mots qui ont été perçus. La mémoire à court terme conserve cette information, et au cours des fixations subséquentes, d'autres éléments vont pouvoir s'ajouter à ceux qui sont déjà là. Par exemple, si la phrase «Les psychologues ont établi une distinction thérorique entre trois niveaux de mémoire» a été lue en trois fixations:

Les psychologues ont établi (première fixation)

une distinction théorique (deuxième fixation)

entre trois niveaux de mémoire (troisième fixation).

La réserve sensorielle a d'abord acheminé vers la mémoire à court terme:

«psychologues établi»

ensuite:

«distinction théorique»

et enfin:

«trois niveaux de mémoire» ou encore « trois niveaux mémoire».

La façon dont se fait cette première sélection dépend naturellement du lecteur qui lit le texte, de ses connaissances du domaine, et de son projet de lecture (ou intention de lecture). On doit cependant noter que la capacité de la mémoire à court terme est de sept éléments d'information en moyenne, il peut s'agir de lettres, de mots, de chiffres, etc. et que la durée de conservation de l'information ne dépasse pas vingt secondes (Lavigne et Dot 1986).

Supposons que certains éléments d'information ont été retenus par la mémoire à court terme. Que se passe-t-il au bout de vingt secondes ou lorsqu'elle a atteint sa capacité? Pour être conservées, ces données doivent alors être transférées dans la mémoire à long terme, sinon elles sont immédiatement effacées, perdues. Le bon lecteur transfère facilement et à intervalles réguliers, d'une mémoire à l'autre, les éléments d'information qu'il extrait du texte. Une fois la lecture achevée, ce n'est pas le texte dans son intégralité qui sera retenu par la mémoire à long terme, mais son sens global, un genre de résumé que l'on appelle aussi la macrostructure du texte (van Dijk et Kintsch 1983). Ainsi le lecteur qui aurait lu le début de ce paragraphe «Supposons que certains éléments ... perdues» (voir début du paragraphe) et à qui l'on demanderait de le rappeler oralement quelques heures après la lecture pourrait dire: «La mémoire à court terme conserve les informations pendant vingt secondes. Après vingt secondes, elles sont transférées dans la mémoire à long terme, sinon elles sont perdues».

On a présenté la mémoire à long terme comme un système complexe composé d'unités de sens qui représentent l'ensemble des connaissances accumulées par un individu. Ces unités ne seraient pas organisées de façon permanente mais constitueraient plutôt un réseau d'éléments fonctionnant selon un mode génératif. Pour Smith (1971), mémoire à long terme et structure cognitive sont des étiquettes identifiant la totalité de notre connaissance du monde. En d'autres mots, mémoire à long terme et structure cognitive ne constituent qu'une seule et même chose.

Contrairement à la mémoire à court terme, la mémoire à long terme n'est limitée ni en capacité ni en temps. Des souvenirs qui remontent à l'enfance et que nous pensions avoir oublié peuvent surgir sur une simple question comme: «Vous vous souvenez de ...?», et nous allons retrouver nos souvenirs grâce à une certaine organisation, un réseau de relations dans lequel ils sont enchâssés.

Si les trois niveaux de mémoire ont un rôle à jouer en situation de lecture, on doit cependant noter que de nombreux travaux ont été consacrés à la mémoire à court terme qui est responsable du codage de l'information et de son transfert dans la mémoire à long terme. On s'est demandé en particulier si la capacité de cette mémoire, que l'on appelle également l'empan mnémonique, ne serait pas le facteur permettant de distinguer les bons lecteurs des lecteurs moins habiles. Les mesures traditionnelles de l'empan mnémonique, tel le test portant sur la mémoire des chiffres, ne permettent pas de dire que la capacité de la mémoire à court terme – du moins bon lecteur – est plus limitée; par contre, les tests qui mesurent l'efficacité et la vitesse du traitement de base de l'information pourraient établir cette distinction. En effet, des expériences ont montré que le traitement détaillé des mots, jusqu'au niveau des lettres, exige trop de temps et trop d'attention et il s'ensuit que la mémoire à court terme ne parvient pas à assimiler ces fragments d'information. La mémoire devient alors vite débordée et l'information se perd, au lieu d'être acheminée normalement vers la mémoire à long terme (Sanford et Garrod 1981; McLaughlin et al. 1983).

En résumé, le traitement de l'information se ferait donc de la façon suivante en situation de lecture: les premières données seraient d'abord reçues par la réserve sensorielle, responsable de leur maintien pendant une fraction de seconde. Cette information transiterait ensuite, pour un court laps de temps, dans la mémoire à court terme et éventuellement s'ajouterait à d'autres éléments d'information qui y figurent déjà avant d'être acheminée vers la mémoire à long terme où l'information va finalement se graver. Les psychologues précisent toutefois que ces trois niveaux de mémoire fonctionnent en étroite relation. Ainsi Smith (1978) explique que lorsque nous sélectionnons de l'information à partir de la réserve sensorielle et que nous portons attention aux mots plutôt qu'aux lettres, c'est que nous savons appréhender les mots globalement, et que ces connaissances particulières nous viennent de la mémoire à long terme ou de la structure cognitive. De même, lorsque la mémoire à court terme attribue un sens au mot, elle le fait par rapport aux données concernant les catégories de mots qui sont, encore une fois, contenues dans la mémoire à long terme. Tout cela pour dire qu'il y aurait donc un échange constant entre les trois niveaux de mémoire.

CHAPITRE 3

Modèles de lecture

A) Les modèles de lecture en langue maternelle

Ce que l'on sait des mécanismes de lecture provient en grande partie des travaux sur la lecture en langue maternelle, surtout en anglais. En effet, depuis une trentaine d'années de nombreux modèles de lecture ont été élaborés à partir de recherches descriptives et expérimentales menées surtout auprès d'adultes dans le but d'offrir une compréhension plus claire du fonctionnement mental du sujet pendant la lecture. Ces modèles constituent autant de tentatives d'identifier d'une part les différents facteurs qui entrent en jeu dans le processus d'élaboration du sens, et d'autre part de déterminer l'importance de chacun de ces facteurs. Une pléiade de modèles du processus de lecture ont été élaborés durant les années 1960 et 1970 (voir Giasson et Thériault 1983). Il est toutefois commode de regrouper ces modèles à partir de trois grands types communément appelés en anglais: «bottom-up», «top-down» et «interactive»; ces termes étant des genres de métaphores pour désigner la façon dont se construit le sens d'un texte. En français, pour désigner ces modèles on retrouve souvent les étiquettes de modèles «verticaux» ou encore, respectivement, de modèles «du bas vers le haut», «du haut vers le bas» et «interactifs». Ce sont ces derniers termes que nous allons utiliser pour décrire les caractéristiques essentielles des trois grands types de modèles.

Dans le type «du bas vers le haut», le lecteur s'appuie principalement sur les signes graphiques pour interpréter les éléments d'information. Le type « du haut vers le bas », au contraire, accorde une place prépondérante aux systèmes de niveau supérieur dans le traitement de l'information, c'est-à-dire aux structures de connaissances contenues dans le cerveau du lecteur. Enfin, dans le type « interactif », qui se situe à la jonction des deux modèles précédents, le sens du texte se construit par la mise en correspondance des structures de connaissances du lecteur avec les données qu'il extrait du texte. Il s'agit d'un échange continu, d'une interaction entre le lecteur et le texte.

1. Les modèles du bas vers le haut

Ces modèles s'appuient sur le principe que la signification d'un texte se construit à partir de l'encodage d'unités de base, en passant d'abord par la reconnaissance des lettres, des syllabes, des mots et enfin des phrases. Le processus est unidirectionnel, de bas en haut et à aucun moment le modèle ne prévoit l'intervention de systèmes d'ordre supérieur sur les opérations effectuées à un niveau inférieur. Pour reprendre une comparaison souvent utilisée, l'interprétation sémantique du texte se produirait par juxtaposition d'éléments, un peu à la manière des briques que l'on juxtapose en construisant une maison. Le plus souvent, ces modèles proposent également un stade de décodage phonétique: pour pouvoir accéder au sens le lecteur doit, au cours de l'une des étapes, prononcer les mots. Le modèle de Gough (1972), pour l'anglais, est probablement le plus connu parmi ces modèles du bas vers le haut.

Quel est l'intérêt de ce type de modèle qui présente une conception linéaire du processus? Est-il encore de quelque utilité en regard des recherches récentes? Il ne faudrait pas oublier que ce type de modèle rend quand même assez bien compte de la démarche mise en oeuvre par un lecteur inexpérimenté. Il peut également arriver qu'un bon lecteur lise lettre par lettre, mot par mot, lorsqu'il se trouve en présence d'un texte difficile. Malgré ses avantages limités, ce type de modèle permet donc de conceptualiser un fonctionnement particulier auquel, dans certaines circonstances, les lecteurs peuvent fort bien recourir.

2. Les modèles du haut vers le bas

Ces modèles présentent une conception très différente de la lecture en s'appuyant sur le principe que la compréhension est un processus d'élaboration et de vérification continues d'hypothèses. Dans ce type de modèle, la signification globale d'un texte commence à se construire au tout début de la lecture à partir d'une hypothèse, en quelque sorte une idée générale que le lecteur se fait du contenu d'un texte, cette hypothèse étant produite à partir de l'expérience et des connaissances personnelles du sujet. Le texte est ensuite parcouru en relevant un certain nombre d'indices. Cette activité a comme objectifs de permettre à la fois de raffiner l'hypothèse initiale et de formuler de nouvelles hypothèses qui permettront de pouvoir accéder au sens du texte.

Goodman, un des théoriciens américains les plus connus en lecture, a présenté un modèle du bon lecteur (1970) qui appartiendrait à cette catégorie. Notons que Smith, dans les trois éditions de *Understanding Reading* (1971, 1978, 1982), présente également un système d'analyse de l'acte de lecture assez proche de ces modèles du haut vers le bas, à la seule différence que selon lui, le lecteur efficace utiliserait un minimum d'information visuelle, l'activité de lecture reposant, pour la plus grande partie, sur l'information non visuelle, c'est-à-dire sur les connaissances générales et particulières du lecteur.

On a souvent critiqué ce type de modèle où presque tout l'accent est mis sur les connaissances du lecteur et où l'on en arrive à passer sous silence le rôle des autres systèmes mis en oeuvre dans l'activité de compréhension. La plus solide défense des modèles du haut vers le bas provient sans doute de nos propres introspections. En effet, en tant que lecteurs habiles nous sommes assez conscients de ne pas traiter le texte lettre par lettre mais de travailler avec des contraintes de niveau supérieur. Au-delà de ce niveau d'introspection, les recherches ont démontré que la lecture courante se caractérisait par une grande sensibilité à des compétences d'ordre supérieur, par exemple les données conceptuelles ou l'ensemble des notions, des idées, des opinions et des croyances que le lecteur a appréhendées et intégrées dans sa structure cognitive.

3. Les modèles interactifs

Le problème majeur des deux types de modèles que nous venons de présenter est leur partialité. En effet, les modèles du bas vers le haut favorisent l'existence des systèmes de niveau inférieur au préjudice de ceux d'ordre supérieur, alors qu'à l'opposé, les modèles du haut vers le bas refusent de reconnaître l'importance des systèmes de niveau inférieur, par exemple les compétences requises pour la reconnaissance des mots. Le modèle interactif, d'une plus grande flexibilité, tenterait en quelque sorte une réconciliation de ces « contraires » en tenant compte des interactions possibles entre les systèmes de niveaux inférieur et supérieur. Ainsi, pour identifier la signification des mots le lecteur pourrait faire appel à de nombreuses sources d'informations, aussi bien graphémiques, lexicales, morphologiques, syntaxiques, qu'à des connaissances plus générales comme par exemple les connaissances relatives au fonctionnement et à l'organisation des textes ou encore les connaissances portant sur les domaines référentiels des textes. Notons que les modèles de ce type se subdivisent en deux groupes: les modèles peu interactifs qui ne reconnaissent pas d'influence directe d'une source d'informations sur une autre, et les modèles fortement interactifs pour lesquels toutes les sources d'informations sont utilisées simultanément et en interdépendance mutuelle. En anglais, le modèle de Perfetti (1985) appartient au premier groupe alors que les modèles de Rumelhart (1977), et de Kintsch et van Dijk (1978, 1984), qui sont fortement interactifs, se rangeraient dans le deuxième groupe.

Dans ce type de modèle le lecteur essaie d'adapter son fonctionnement à la tâche de compréhension qu'il poursuit. Mais comment gère-t-il les différentes activités cognitives à chacune des étapes du processus? Nous n'en savons trop rien car nulle part cela n'est vraiment précisé. Pourtant, cette question mériterait que l'on s'y attarde sérieusement étant donné que c'est ce type de modèle qui est à la base des recherches actuelles en compréhension.

3.1. *La théorie des schèmes*

Les modèles influencés par la théorie des schèmes appartiennent à la classe des modèles interactifs qui sont apparus ces dernières années. Dans une tentative pour expliquer les interactions possibles entre les connaissances que possède le lecteur et le texte lui-même, la théorie des schèmes a proposé certaines hypothèses qui lui sont propres et que nous allons rappeler brièvement dans les lignes qui suivent. Ce rapide exposé nous permettra de mieux comprendre cette classe de modèle interactif.

Pour rendre compte de l'organisation de la mémoire, du rôle joué par les connaissances antérieures en compréhension, certains chercheurs ont élaboré des modèles basés sur la notion de schème et c'est le cas en particulier de Stanovich (1980), et de Rumelhart (1980). Notons que l'on utilise également le terme « schéma » pour le français; en anglais c'est le terme « schema » (« schemata » au pluriel) qui revient le plus souvent.

Selon la théorie, le schème est un groupement structuré de connaissances qui représentent un concept particulier, par exemple un objet, une perception, une situation, un événement, une série d'actions, etc. L'exemple qui suit, traduit de Carrell et Eisterhold (1983: 557-558), permet de mieux comprendre la notion de schème.

Prenons l'énoncé suivant, « Le policier a fait signe à l'automobiliste de s'arrêter ».

Pour comprendre cet énoncé, il faut le relier à des connaissances antérieures. Surgissent alors plusieurs schèmes possibles, c'est-à-dire plusieurs interprétations:

a) un policier dirige la circulation et fait signe à un automobiliste de s'arrêter;

b) un automobiliste va trop vite;

c) le policier et l'automobiliste se connaissent; etc.

Un certain nombre d'idées qui ne sont pas mentionnées dans l'énoncé viennent aussi à l'esprit, on peut imaginer: le décor: un carrefour, une route; la voiture avec son conducteur; le policier qui lève la main; le conducteur qui freine, etc. Si l'on apprenait maintenant que le policier était Superman, un schème différent deviendrait alors nécessaire pour comprendre l'énoncé.

Les schèmes sont organisés selon une certaine hiérarchie comprenant des schèmes supérieurs et des sous-schèmes (schemata and sub-schemata) et la compréhension d'un objet peut se faire de façon globale ou de façon plus détaillée. Par exemple, nous avons un schème pour le visage, et ce schème inclut les sous-schèmes de la bouche, du nez, de l'oeil, etc., et ces sous-schèmes à leur tour recouvrent d'autres éléments. Enfin, les schèmes sont présents à tous les niveaux de notre expérience et à tous les niveaux d'abstraction; ils représentent notre connaissance et, caractéristique des plus intéressantes, ce sont des processus actifs qui se modifient avec l'acquisition de nouvelles connaissances.

Selon la théorie des schèmes, la compréhension d'un texte est un processus interactif entre le lecteur et le texte. Pour comprendre un texte le lecteur sélectionne des schèmes qui vont lui permettre de donner une signification au texte à partir de l'information contenue dans celui-ci. Il s'ensuit que l'on a compris un texte lorsqu'on possède une configuration de schèmes, ou encore lorsqu'on a élaboré une série d'hypothèses qui rendent compte de façon cohérente de la signification du texte.

L'exemple suivant nous aidera à mieux préciser cette notion. Soit le texte, « Nicole s'était fait belle pour aller au restaurant. Mais vous devinez où ils sont allés? Inutile de vous dire ce qui est arrivé! ».

Pour comprendre ce texte, il faut sélectionner certains schèmes à partir de l'information du texte:

a)   le schème du restaurant: il existe plusieurs types de restaurant (le restaurant où l'on mange rapidement, le restaurant du coin, le grand restaurant, etc.);

b)   le schème des vêtements: on porte des vêtements différents selon les occasions, et en principe lorsqu'on va dans un grand restaurant, on s'habille de façon assez élégante;

c)   le schème de l'endroit où ils sont allés: au restaurant du coin, au cinéma, nulle part, etc.;

d)   le schème de la personne (ou des personnes) qui accompagnait Nicole: un ami, des amis, ses parents, etc.;

e)   le schème de l'événement qui s'est produit: Nicole s'est mise en colère, n'a pas voulu manger, a quitté le restaurant, etc.

Une interprétation possible serait que Nicole (tout en ne connaissant rien d'elle ni de sa vie personnelle) est allée au restaurant du coin avec son ami, alors qu'elle pensait aller dans un grand restaurant, ce qui a pu lui déplaire et provoquer une certaine réaction de sa part. Cette configuration de schèmes, qui sont aussi des hypothèses élaborées à partir de l'information contenue dans le texte, permettrait de rendre compte de sa signification.

Nous posséderions ainsi des schèmes correspondant aux lettres, aux mots (schèmes formels), au texte tout entier (schèmes du contenu), et ces schèmes s'influenceraient mutuellement.

Le fait que le sujet construit des hypothèses pour comprendre un texte a été vérifié dans plusieurs expériences et on a ainsi de bonnes raisons de croire que la compréhension résulte de l'activation de schèmes (hypothèses). Toutefois, la théorie des schèmes reste encore lacunaire; il y manque en effet des données sur la façon dont s'élaborent les schèmes, sur leur activité et leur évolution. Finalement, même si ce type de modèle se veut « interactif », il apparaît que l'accent est mis d'abord sur le lecteur plutôt que sur le texte, et comme les critiques l'ont si bien dit, on y a gagné un modèle du fonctionnement du sujet, au détriment d'un modèle d'analyse de l'objet.

3.2. Le modèle de Deschênes

Les recherches que nous venons de rapporter mettent en évidence deux orientations: l'analyse du fonctionnement d'un lecteur qui s'appuie uniquement sur le texte pour le comprendre, par opposition à celle d'un lecteur qui utilise en grande partie d'autres sources d'information hors texte (information non visuelle). Le modèle proposé par un psychologue, Deschênes, manifeste un souci marqué de mettre en rapport les caractéristiques d'un texte avec celles de l'utilisateur, c'est-à-dire le lecteur. Bref, la compréhension en lecture serait fonction de trois grandes variables indissociables: le texte, le contexte et le lecteur, comme nous allons le voir dans les lignes qui suivent.

En s'appuyant sur les théories de la psychologie de l'information (Lindsay et Norman 1980) et du traitement de texte (Denhière 1984; Kintsch et van Dijk 1978), Deschênes (1988:16-17) propose un modèle du processus de lecture à partir de trois facteurs qui pourraient avoir une influence sur la performance de compréhension:

1) le contexte dans lequel s'insère le texte;

2) les caractéristiques du texte; et

3) les connaissances du lecteur.

Étant donné l'objectif du présent ouvrage, nous n'examinerons pas ce modèle en détail. Nous nous contenterons d'en esquisser le cadre et de décrire sommairement les principales variables qui sont reliées à chacun des trois facteurs.

1. Le contexte

Le contexte inclut les variables suivantes: le titre qui fournit au lecteur un «cadre de référence» pour l'interprétation du texte; les organisateurs introductifs, c'est-à-dire des informations pour présenter le texte durant les activités de prélecture; les questions adjointes (insérées au début, à la fin, ou dans le texte lui-même et qui portent sur les informations contenues dans le texte); les illustrations; le but de la lecture ou la perspective du lecteur; et enfin les modalités de présentation du texte (des comparaisons entre les versions orale et écrite d'un même texte). Nous aimerions apporter quelques précisions concernant les deux dernières variables, plus précisément le but de la lecture ou la perspective du lecteur ainsi que les modalités de présentation du discours.

La recherche a montré que le type de traitement accordé aux diverses informations contenues dans un texte lu peut être modifié suivant la perspective du lecteur. C'est ainsi, par exemple, que la description de l'intérieur d'une maison sera retenue de façons fort différentes par un acheteur éventuel ou par un cambrioleur préparant un coup, la perspective affectant de façon importante les éléments qui seront retenus et éventuellement rappelés (Anderson et Pichert 1978; cités par Deschênes 1988).

Les chercheurs ont également observé que les modalités de présentation du discours (version orale ou écrite d'un même texte) semblent avoir un effet sur le processus du traitement de l'information. Par exemple, une histoire où l'on répète plusieurs fois certaines informations, où il y a une certaine redondance, sera plus facile à comprendre et à retenir (Langevin 1983; cité par Deschênes 1988).

2. Les caractéristiques du texte

En ce qui a trait aux caractéristiques du texte, Deschênes établit la distinction traditionnelle entre la forme (les aspects linguistiques) et le contenu (les aspects sémantiques). Parmi les éléments formels qui peuvent jouer un rôle dans la compréhension de texte, il y aurait d'abord certains mots comme les conjonctions, les prépositions, les adverbes, etc. Des expériences ont permis de constater qu'une grande quantité de mots charnières, ou articulateurs, facilitent la compréhension d'un texte en particulier pour les lecteurs faibles. La redondance syntaxique a également un effet positif sur la compréhension, surtout lorsque la première partie d'une proposition reprend ce qui précède. Il en est de même pour le paragraphe qui, s'il est bien organisé (c'est-à-dire quand tous les éléments sont reliés les uns aux autres de façon à rendre la lecture claire et significative), peut être un bon indicateur de la structure d'un texte. D'après les chercheurs, la structure textuelle est un facilitateur important pour la compréhension du texte, car plus elle est évidente, plus les lecteurs l'utilisent pour organiser leurs rappels, c'est-à-dire pour reconstituer le texte lorsqu'ils en vérifient la compréhension (Kintsch et Yarbrough 1982; Taylor et Beach 1984; cités par Deschênes 1988).

En ce qui concerne maintenant l'aspect sémantique ou le contenu, notons que celui-ci est décrit à partir de deux notions fondamentales: la microstructure et la macrostructure.

La microstructure d'un texte (ou la base d'un texte) est constituée d'une liste de propositions et des relations qu'elles entretiennent entre elles et le temps de lecture est fonction du nombre de propositions et de leurs relations (Keenan 1986; cité par Deschênes 1988). En présentant le modèle de Meyer, nous aurons l'occasion de décrire sommairement cette analyse qui s'appuie sur les notions de prédicats et d'arguments (voir chapitre 6, La recherche textuelle en langue maternelle).

La macrostructure, seconde notion essentielle de la représentation sémantique du texte, est une structure de signification globale du texte, un genre de résumé qui peut être élaboré à partir de propositions constituant la base du texte, si le texte est bien organisé.

3. Les connaissances du lecteur

Le troisième type de facteurs se rapporte à la personne qui lit: ce sont les connaissances préalables du lecteur. Il faut distinguer ici deux variables importantes: les structures de connaissances et les processus psychologiques.

Les structures de connaissances renvoient au contenu de la mémoire et aux informations qui y sont représentées en tant que forme et que contenu (schèmes formels et schèmes du contenu). Ces structures se modifient avec l'âge et l'expérience, ce qui se traduit par une amélioration des performances en compréhension.

Les processus psychologiques se rapportent aux activités cognitives: la perception; le traitement de l'information; la récupération de l'information (retrouver les éléments importants qui sont déjà en mémoire); et enfin la production, dans le cas où il y a rappel du texte. À l'exception de la production, un aspect que nous n'abordons pas dans le présent ouvrage, nous avons déjà eu l'occasion d'examiner ces aspects dans le volet consacré à la perception visuelle et à la mémoire, et nous ne reviendrons donc pas sur ces questions.

Comme nous l'avons vu, en se fondant sur la recherche existante, on a défini un ensemble de facteurs qui peuvent avoir un effet sur la compréhension d'un texte. Il en existe toutefois d'autres sur lesquels les chercheurs ont attiré l'attention ces dernières années et qui ne figurent pas dans le modèle; entre autres, la familiarité du lecteur avec un sujet, et l'intérêt qu'il lui trouve, influenceraient directement la compréhension (Freebody et Anderson 1983). Il ne faudrait donc pas négliger cet aspect. En ce qui concerne le lecteur, d'autres facteurs devraient être considérés, par exemple le style cognitif, et certaines variables affectives qui jouent un rôle dans toute activité d'apprentissage, comme par exemple la confiance en soi. Si l'on doit tenir compte de ces nombreuses variables individuelles, on pourrait dire bien sûr qu'il existe autant de modèles de lecture qu'il y a de lecteurs, ce qui est un peu vrai. Quoi qu'il en soit, le modèle de Deschênes reste particulièrement intéressant comme synthèse de la recherche expérimentale sur l'interaction lecteur / texte, et à ce titre il propose des pistes qui peuvent guider l'intervention du professeur en salle de classe.

Les modèles illustrent-ils bien la réalité? Sans vouloir être pessimiste, il faut avouer que les nombreux efforts pour tenter d'expliquer le processus de lecture n'ont pas encore donné tous les résultats attendus et il n'y a pas de théorie qui soit unanimement acceptée; on est loin de comprendre parfaitement ce qui se passe effectivement dans la tête du lecteur et de quelle façon les différents systèmes mobilisés par l'activité de lecture interviennent ou se combinent. Les études menées ces dix dernières années ont cependant montré que les processus mis en oeuvre pour l'apprentissage de la lecture fonctionneraient plutôt d'après un modèle interactif, selon lequel il y aurait une mise en rapport de différentes sources d'information, (graphiques, phonétiques, grammaticales, contextuelles, etc.) jumelées aux connaissances plus générales qui constituent le patrimoine intellectuel du lecteur.

B) Les modèles de lecture en langue seconde

1. Quelques modèles interactifs récents

Les chercheurs reconnaissent que les modèles du bas vers le haut sont trop limités et que les modèles du haut vers le bas sont essentiellement des modèles de lecteurs compétents. Par contre, les modèles interactifs sembleraient mieux convenir à la description des mécanismes de lecture des apprenants en cours d'apprentissage d'une langue seconde, car le modèle interactif met l'accent sur certaines habiletés qu'il est important d'acquérir pour devenir un bon lecteur.

Depuis une dizaine d'années plusieurs modèles interactifs de lecture ont été proposés pour la langue seconde qui pour la plupart, s'appuient sur les recherches menées en langue maternelle.

Nous examinerons ici quelques-uns de ces modèles parmi les plus récents et les plus connus, et nous essaierons de souligner ce qui fait leur originalité.

Devine (1983) a adapté trois modèles de lecture pour l'anglais langue seconde à partir de ceux élaborés pour la lecture en anglais langue maternelle. Ces modèles sont basés sur une analyse des « méprises » en lecture oralisée faites par des enfants du primaire. Une méprise (« miscue ») est un écart entre le mot écrit et le mot qui est lu. Goodman (1969) signale que les méprises ne seraient pas faites au hasard mais révèleraient des stratégies qui sont utilisées pendant la lecture. Par exemple, le sujet qui lit: « j'ai oublié de nettoyer mes chaussures » au lieu de: « j'ai oublié de nettoyer mes souliers » fait une méprise; il a compris le sens de la phrase mais il a utilisé un synonyme de « soulier ». Devine a conduit des expériences semblables auprès d'adultes de niveaux débutant et intermédiaire en anglais langue seconde. À la suite du test qui comprenait une entrevue suivie d'une lecture à haute voix et d'un résumé oral de lecture, elle a proposé trois modèles. Quelles sont les caractéristiques essentielles de ces trois modèles? Le modèle « axé sur les sons » (« sound-centered »), qui décrit le comportement d'un lecteur qui passe par le stade phonétique pour accéder au sens, se rangerait dans la catégorie des modèles du bas vers le haut. Il en est de même pour le modèle « axé sur les mots » (« word-centered »), qui s'appuie sur le principe que la signification d'un texte se construit à partir des éléments lexicaux et grammaticaux contenus dans le texte. Par contre, le modèle « axé sur la signification » (« meaning-centered »), en mettant l'accent sur les hypothèses que fait le lecteur à partir d'indices contextuels, appartiendrait à la catégorie des modèles du haut vers le bas. Cela dit, ces trois modèles de Devine restent d'une portée assez limitée, d'abord parce qu'il s'agit d'expériences en lecture oralisée, ensuite, à cause du choix des sujets. On sait en effet que la compréhension en lecture oralisée est toujours moins bonne qu'en lecture silencieuse, le sujet ayant tendance à fixer son attention sur la prononciation des mots, plutôt que de s'attacher à en lire le sens. Par ailleurs, on pourrait se demander si des modèles élaborés auprès d'enfants, comme c'est le cas pour ceux utilisés par Devine, peuvent vraiment rendre compte du processus de lecture chez des adultes, alors que l'on sait que les performances de compréhension sont soumises à une évolution selon l'âge des sujets.

À partir de leur expérience en salle de classe, Dubin et al. (1986) ont proposé un modèle interactif en mettant l'accent sur la structure cognitive du sujet et sur l'élaboration d'hypothèses que fait le sujet à partir de ses connaissances et de l'information visuelle qu'il extrait du texte durant la lecture. Ils précisent que plus le lecteur en langue seconde devient compétent, moins il devrait passer de temps à reconnaître les mots, ce qui lui permettrait alors de se concentrer sur des stratégies de niveau plus élevé. Il pourrait, par exemple, faire des hypothèses, les confronter les unes aux autres et en évaluer la pertinence. Ce modèle qui n'a pas été validé reste très général et ne fournit pas vraiment d'indications sur la façon dont les différentes composantes sont sollicitées en situation de lecture.

Segalowitz (1986), à la suite d'expériences menées en laboratoire auprès d'étudiants bilingues anglophones et francophones, a mis au point un modèle qui peut être utilisé aussi bien pour la langue maternelle que pour la langue seconde. Ce modèle s'attache à certains aspects de la lecture en langue seconde, entre autres à la vitesse de lecture, à certains automatismes, en particulier à ce qui a trait à la reconnaissance des mots et au recodage phonétique. Les expériences dont on a fait mention pour élaborer le modèle ont porté uniquement sur la reconnaissance de mots et d'énoncés plutôt que sur la compréhension générale d'un texte. Cette approche restrictive ne correspond pas à la véritable lecture et de ce fait, enlève une certaine crédibilité au modèle.

Au même titre que les modèles élaborés pour la langue maternelle, ces modèles demeurent des tentatives pour essayer de mieux cerner le processus de lecture chez l'apprenant en langue seconde. Toutefois, la lecture en langue seconde ne peut être calquée sur le parcours que l'on propose en langue maternelle; en effet, dans le cas qui nous occupe, le code linguistique est souvent peu maîtrisé, ce qui force le lecteur à se replier sur des pratiques plus linéaires. À défaut de constituer des certitudes pédagogiques, ils n'en livrent pas moins certaines indications qui peuvent orienter les démarches de l'enseignant.

2. Le modèle de Moirand

On se souvient que le modèle de lecture élaboré par Deschênes (voir
Le modèle de Deschênes) prenait en compte à la fois les caractéristiques du lecteur et celles du texte. Il y a quelques années déjà,
Coste (1978:27) avait également tenté d'analyser et de décrire le
processus de lecture à partir de ces paramètres. À cet effet, il notait
que la lecture, en langue maternelle ou étrangère, comme toute
activité de communication d'ailleurs, sous-entend la mise en oeuvre de certaines compétences (linguistique, textuelle, référentielle,
relationnelle et situationnelle).

Dans son ouvrage *Situations d'écrit* (1979: 11 et 12), Moirand propose un modèle similaire bien connu, où l'on distingue les composantes de base suivantes:

a) Le lecteur: son statut, son rôle, son « histoire », etc.

b) Les relations lecteur / scripteur: le type de relations et (ou)
   surtout les représentations que le lecteur se fait à propos du
   scripteur.

c) Les relations lecteur / scripteur et document: le document produit un « effet » sur le lecteur, effet pas toujours conforme à
   celui imaginé (et (ou) voulu) par le scripteur.

d) Les relations lecteur / document et extra-linguistiques:
   l'influence du type de référent; les connaisances du lecteur;
   le lieu et le moment où il entreprend sa lecture.

Moirand précise que le lecteur a un statut défini, c'est-à-dire qu'il
appartient à un groupe social déterminé, mais qu'il peut changer
de rôle plusieurs fois par jour (rôles de père, d'employé, de syndi-
caliste, etc.). Le lecteur a également une « histoire », un passé socio-
culturel qui, au même titre que le statut et le rôle, entre en jeu
dans son interprétation d'un texte. Le scripteur peut entretenir
avec ses lecteurs des relations amicales, professionnelles, etc. qui
se reflètent dans la manière de formuler son message et influent
sur les lectures possibles d'un document. Par ailleurs, le scripteur
a une intention de communication; il veut produire un certain
« effet » sur le lecteur, par exemple l'informer, le divertir, etc. Mais
cet effet dépend, entre autres, des objectifs de lecture du lecteur,
de ses hypothèses sur le sens du texte. Outre l'importance de ces

diverses composantes, il faut également tenir compte de l'influence du type de référent (« de quoi » ou « de qui » l'on parle dans le texte), des connaissances antérieures du lecteur (linguistiques, référentielles, etc.) ainsi que du lieu et du moment où il entreprend sa lecture.

Ce modèle qui n'a pas été validé et qui date de quelques années déjà demeure malgré tout très intéressant. Il met l'accent sur certaines variables socio-culturelles et relationnelles que les modèles psychologiques oublient de prendre en compte et qui sont pourtant essentielles à la compréhension du texte.

CHAPITRE 4

Habiletés et stratégies
du bon lecteur

A) Habiletés et stratégies en langue maternelle

Plutôt que d'essayer de vouloir saisir le processus de lecture dans son ensemble, comme tentent de le faire les modèles, certains chercheurs ont proposé d'en étudier seulement quelques aspects qui se manifestent dans les habiletés et les stratégies du bon lecteur.

Mais que faut-il entendre par « habileté » et par « stratégie »? Il a long-temps régné une certaine confusion au sujet de ces deux termes qui semblaient plus ou moins être utilisés de façon interchangeable. Il est intéressant de noter que dans les publications récentes on commence à faire une nette distinction entre les deux. À cet égard, une habileté est maintenant perçue comme un savoir-faire qui a été automatisé par la répétition ou les expériences, tandis qu'une stratégie serait une démarche consciente mise en oeuvre pour résoudre un problème ou pour atteindre un objectif (Williams 1989).

On ne saurait toutefois opposer habileté à stratégie car, comme l'ont fait remarquer avec justesse certains chercheurs, il existe un lien entre ces deux termes: « Les stratégies ne sont pas nécessairement différentes des habiletés: en fait, ce sont des habiletés dont on prend conscience afin de mieux les examiner » (Paris et al. 1983:296 – traduction libre). Voici un exemple qui nous permettra de mieux suivre ce raisonnement: le bon lecteur est particulièrement habile à engager ses connaissances référentielles lorsqu'il formule des hypothèses sur le sens du texte et il le fait naturellement, sans même y penser. Devant un texte difficile, toutefois, ce même lecteur va essayer de retrouver dans sa mémoire ou dans sa structure cognitive certaines connaissances précises qu'il possède sur le domaine référentiel du texte, ou sur l'auteur, etc., afin d'apporter des solutions à ses problèmes de compréhension. Dans ce cas, il s'agit donc d'une démarche consciente et plus particulièrement de la mise en oeuvre de la stratégie portant sur les connaissances antérieures.

La lecture sous-entend donc l'acquisition de certaines habiletés et également la connaissance de stratégies particulières. On émet l'hypothèse que ces dernières pourraient servir de moyens pour accélérer, voire enclencher le processus d'automatisation (Paris et al. 1983).

Quelques habiletés du bon lecteur

C'est à partir d'expériences en laboratoire et d'observations en salles de classe que l'on a pu identifier quelques habiletés du bon lecteur. Quelles sont-elles? Tout d'abord le bon lecteur a en mains un atout majeur: son habileté à reconnaître les mots. Celle-ci est très poussée et se manifeste de façon presque automatique (Perfetti 1985). Chaque mot a en quelque sorte une silhouette que le bon lecteur reconnaît d'un simple coup d'oeil, sans avoir à en analyser les composants, surtout pour les mots qui lui sont familiers. Le bon lecteur sait également que dans un énoncé, un article est plus souvent suivi d'un substantif que d'un adverbe; de plus, il s'attend à voir certains mots apparaître dans un contexte particulier. Le lecteur tire donc parti de ses connaissances pour reconnaître les mots ou les groupes de mots globalement. Il s'ensuit que le traitement de l'information peut se faire avec facilité et rapidité, à l'intérieur de la mémoire à court terme.

La prédiction est considérée par Smith (1971) comme la base de la compréhension et elle prend la forme d'une suite de formulations et de vérifications d'hypothèses. À cet égard, le bon lecteur serait particulièrement habile à prédire les informations qui vont suivre dans le texte, à partir de la mise en relation d'éléments textuels (indices iconiques, formels, sémantiques, etc.) et de connaissances particulières qu'il possède. Comme nous l'avons déjà signalé, le bon lecteur se caractérise par sa capacité de conserver en mémoire un certain nombre de connaissances dont il se sert durant la lecture.

Enfin, le bon lecteur est aussi celui qui ajuste automatiquement son fonctionnement cognitif à la tâche qu'il doit réaliser ou au projet qui est le sien. Il sait, par exemple, que la formulation des premières hypothèses sur un texte peut se baser sur des éléments externes comme le titre, les sous-titres, les images, les graphiques, etc. Il utilisera spontanément ces données si elles sont disponibles (Goodman 1976).

Quelques stratégies du bon lecteur

Être un bon lecteur consiste également à pouvoir détecter ses propres difficultés et à y apporter des solutions. Cela est possible grâce à la mise en oeuvre de stratégies de compréhension. Selon Smith (1985), le bon lecteur parviendrait toujours à sélectionner les bonnes stratégies au moment approprié et à les utiliser avec précision et sans effort.

De nombreuses typologies de stratégies ont été produites dans le domaine de la lecture en langue maternelle. Parmi les plus connues et les plus récentes, mentionnons celle de van Dijk et Kintsch (1983) pour l'anglais langue maternelle. Ces typologies ont été élaborées à partir de trois techniques:

1) observations en salle de classe;

2) entrevues et

3) réflexions à haute voix (think aloud). Cette dernière consiste à faire lire un texte à haute voix; chemin faisant le sujet explique la façon dont il s'y prend lorsqu'il rencontre un problème particulier, et plus précisément quelle stratégie il met alors en oeuvre. Le lecteur pourrait dire, par exemple, en rencontrant un mot inconnu: « Tiens, je ne connais pas ce mot, mais peut-être que si j'essayais de relire la phrase qui précède ça m'aiderait à comprendre ... ». Cette démarche montre que le sujet vient d'utiliser la stratégie du contexte.

Parmi les stratégies traditionnellement reconnues auxquelles le bon
lecteur fait appel au besoin et qui peuvent aussi servir à l'apprentissage de la lecture, on retrouve:

– l'esquive de la difficulté (contourner la difficulté);
– le balayage («scanning»);
– l'écrémage («skimming»);
– la lecture critique;
– l'utilisation du contexte;
– l'utilisation de l'inférence;
– l'utilisation des connaissances antérieures (référentielles, textuelles, grammaticales, etc.);
– l'objectivation («monitoring»).

Comme nous reviendrons sur la question de l'enseignement des
stratégies dans la partie de l'ouvrage consacrée aux interventions
pédagogiques (chapitre 7), nous allons nous contenter ici de les présenter succinctement.

Le bon lecteur sait accepter une certaine ambiguïté, une certaine
imprécision. Il peut arriver en effet qu'il rencontre un mot nouveau ou qu'il ne comprenne pas une phrase et dans ce cas, il peut
contourner la difficulté en décidant par exemple de continuer à
lire car il sait que le sens du mot ou de la phrase devrait se préciser
à mesure que d'autres éléments d'information viennent s'ajouter.

Notons que le balayage («scanning»), l'écrémage («skimming») et
la lecture critique sont des types de lecture. Toutefois, quand ils
sont pratiqués systématiquement, dans un but bien défini, ils
deviennent des stratégies (Paris et al. 1983).

Le balayage consiste à repérer rapidement une information précise. Il permet, par exemple, de retrouver dans un dépliant, à quelle
heure une activité a lieu. Il s'agit d'une lecture sélective, en dia-
gonale. L'écrémage, c'est parcourir le texte rapidement et de façon
non linéaire; c'est en quelque sorte, faire un survol pour avoir une
idée globale de son contenu (Giasson et Thériault 1983). Lorsqu'on
feuillette un journal afin de décider quels seront les articles qui,
plus tard, vaudront la peine d'être lus, on fait de l'écrémage. La

lecture critique d'un document demande, en général, qu'on le parcoure d'un bout à l'autre, intégralement; il s'agit d'une lecture fine aux fins d'évaluation. C'est ce que fait par exemple le réviseur de texte ou le rédacteur d'une revue.

L'utilisation du contexte, comme nous l'avons déjà dit en décrivant la technique de la réflexion à haute voix, consiste à se servir de l'environnement dans lequel se trouve un mot ou un énoncé pour aider à découvrir sa signification. Les expériences ont montré que le bon lecteur ne recourt pas très souvent à cette stratégie du contexte; toutefois, lorsqu'il lui arrive de le faire, il y réussit particulièrement bien. Comme l'a noté Rossi (1985:160), « Le moment où intervient le contexte ainsi que son rôle dépendent de la tâche et de la situation dans laquelle est placé le sujet ».

L'inférence est un processus cognitif au cours duquel le lecteur utilise ses connaissances pour enrichir, compléter ou transformer les informations contenues dans un texte, de sorte qu'elles lui soient plus faciles à comprendre et à mémoriser. (Deschênes 1988:50). Bref, faire des inférences, c'est pouvoir lire entre les lignes et deviner ce que l'auteur n'a pas dit, à partir d'un examen attentif des arguments qui sont présentés. Dans certains cas, la stratégie de l'inférence peut aussi aider le lecteur à découvrir et à résoudre les ambiguïtés ou les incohérences qui existeraient dans un texte.

Nous avons déjà discuté à quelques reprises de l'importance que jouent les connaissances antérieures et nous avons montré, dans les pages précédentes, que si le bon lecteur sait utiliser spontanément son bagage de connaissances, il doit parfois réfléchir et aller récupérer en mémoire certaines connaissances pertinentes susceptibles d'éclairer et de faciliter l'appréhension de l'information contenue dans le texte: il s'agit alors de la mise en oeuvre de la stratégie des connaissances antérieures.

La lecture exige que le sujet contrôle son activité (« monitoring ») par l'objectivation constante de soi, du matériel et de la tâche qu'il accomplit, ce qui demande un certain jugement, un certain effort et une certaine évaluation. Le lecteur doit faire le point sur ce qu'il sait par rapport à son intention (projet) de lecture, à ses besoins, à ses intérêts. Il s'agit d'un genre d'activité de gestion qui va aboutir, à la fin de la lecture, à l'intégration de nouvelles connaissances et par conséquent à une réorganisation de la structure cognitive.

Après avoir lu la critique d'une pièce de théâtre le lecteur pourrait, par exemple, se faire les réflexions suivantes: «Si j'ai bien compris, cette pièce ne vaudrait donc pas le déplacement ... ce n'est pourtant pas ce que j'avais entendu dire. Je voulais même aller la voir; mais qu'est-ce qu'il lui reproche exactement? ... voyons un peu». Et le lecteur va refaire une lecture minutieuse du texte, afin de voir quelles critiques on adresse à cette pièce et, éventuellement, il décidera alors s'il veut y assister.

Finalement, habiletés et stratégies ne sauraient être opposées car, comme nous l'avons vu, selon les circonstances et par l'exercice de la volonté, une habileté peut céder la place à une stratégie au cours de la lecture. D'une autre façon, la pratique systématique de certaines stratégies pourrait aider l'apprenant à traiter plus facilement et plus rapidement l'information, donc le préparer à acquérir certains automatismes (nous pensons, par exemple, à la stratégie de l'esquive de la difficulté). Habiletés et stratégies seraient semblables et en même temps différentes, elles ressembleraient, si l'on peut se permettre cette comparaison, à la main gauche et à la main droite de l'acte de lecture.

B) Quelques stratégies de lecture en langue seconde

La didactique des langues secondes s'intéresse de plus en plus au processus d'apprentissage en mettant l'accent sur des stratégies qui pourraient faciliter l'acquisition, l'entreposage ou l'utilisation de l'information.

Les textes portant sur la dimension stratégique de l'enseignement / apprentissage des langues secondes sont donc nombreux et proposent des typologies de stratégies désignées sous diverses étiquettes: «métacognitive», «cognitive», «socio-affective», «mnémonique», «compensatoire», etc. Avant même d'aborder la question des stratégies de lecture, il nous paraît utile de clarifier rapidement ces termes, ne serait-ce que pour mieux comprendre où se situent les stratégies de lecture.

Les chercheurs ont remarqué que les bons apprenants en langue seconde sont ceux qui non seulement connaissent certaines stratégies mais qui savent les utiliser pour faciliter leur propre apprentissage. À la suite de plusieurs études portant sur des observations et des interviews d'étudiants du secondaire (âgés de 12 à 16 ans), O'Malley et al. (1985a, 1985b) ont proposé une typologie de stratégies qui est maintenant reconnue comme système de classification.

La typologie proposée comprend trois catégories de stratégies: métacognitives, cognitives et socio-affectives. Les auteurs indiquent que les stratégies métacognitives s'appliquent à n'importe quelle sorte d'apprentissage en permettant de mieux le diriger; par exemple, réfléchir au processus d'apprentissage, planifier son propre apprentissage, évaluer ses progrès, etc., sont des stratégies métacognitives. Les stratégies cognitives, quant à elles, sont reliées directement à la tâche à accomplir et sous-entendent une interaction entre le sujet et le matériel d'apprentissage. Ainsi, utiliser le dictionnaire, se servir d'indices contextuels, faire des inférences, etc., sont des stratégies cognitives qui sont directement liées à l'activité de compréhension orale ou écrite. Les études de O'Malley et al. ont également montré que les étudiants de niveaux débutant et intermédiaire utilisent plus les stratégies cognitives que les stratégies métacognitives. Enfin, les stratégies socio-affectives sont celles qui sont mises en oeuvre durant les interactions avec le professeur ou les autres étudiants du groupe, par exemple, demander au professeur des clarifications sur un point particulier et collaborer avec ses pairs dans le cadre d'une activité sont des stratégies socio-affectives.

À ces trois catégories de stratégies, les didacticiens ajoutent souvent les stratégies mnémoniques et les stratégies compensatoires (Oxford et Crookall 1989). Les stratégies mnémoniques seraient des techniques qui peuvent aider l'apprenant à conserver une nouvelle information en mémoire et à pouvoir éventuellement la retrouver; par exemple, souligner les idées importantes dans un texte, faire des tableaux qui regroupent des éléments importants, etc., seraient des stratégies mnémoniques, alors que les stratégies compensatoires feraient office de béquille lorsque certaines connaissances viennent à manquer; c'est ainsi qu'en compréhension écrite, essayer de deviner le sens d'un mot en utilisant le contexte serait une stratégie compensatoire. Par contre, pour O'Malley et al. il s'agit d'une stratégie cognitive.

C'est également à partir d'observations et d'interviews d'étudiants en langues, et grâce à la technique de la réflexion à haute voix que l'on a remarqué que les bons lecteurs utilisaient certaines stratégies (Hosenfeld et al. 1981). Parmi les stratégies qui sont reconnues, Carrell (1989) énumère les suivantes: le balayage, l'écrémage, l'utilisation du contexte, la tolérance à l'ambiguïté, la lecture critique, l'utilisation de l'inférence et l'utilisation des connaissances antérieures, référentielles et textuelles. Même si ces stratégies sont qualifiées de stratégies de lecture (ou encore de stratégies cognitives dans le sens où O'Malley et al. pourraient l'entendre), certaines font aussi partie des stratégies d'apprentissage, par exemple la tolérance à l'ambiguïté et l'utilisation des connaissances antérieures (Reiss 1985). Comme nous l'avons vu dans les lignes qui précèdent, l'utilisation du contexte pour découvrir le sens d'un mot est aussi une stratégie compensatoire. À cette liste de stratégies plus ou moins acceptée par les chercheurs, certains ajoutent: l'anticipation, la capacité de résumer (« summarizing »), l'exploitation des ressemblances lexicales (congénères), les préfixes, les suffixes, l'aptitude à cerner les idées principales d'un texte, etc.

Depuis quelques années, des expériences ont été faites pour essayer de mesurer la valeur de certaines de ces stratégies en anglais langue seconde (Hamp-Lyons et Nemoianu 1985, 1987; Carrell 1987; cités par Kern 1989) et en français langue étrangère (Kern 1989). Ces expériences portent, entre autres, sur la formulation d'hypothèses, sur l'utilisation du contexte, des congénères, des articulateurs, etc. À la suite d'expériences menées auprès des apprenants en français langue seconde, à l'Université d'Ottawa, on a constaté que l'utilisation de la structure des textes facilite la compréhension (Raymond 1990).

Il faut également signaler les nombreux essais d'application faits au Canada dans le matériel pédagogique et en particulier dans *Connecting* (Tremblay et al. 1984) *Radio-Puce* (Tardif et Arseneault 1986), *Lire avec plaisir* (Barnett 1988), *Élans* (Duplantie et al. 1990), *Guide pédagogique secondaire, français langue seconde* (Cornaire et al. 1990), etc.

Même s'il est encore difficile de généraliser les résultats d'expérience qui sont à notre disposition, tout porte à croire que les étudiants en français langue seconde peuvent bénéficier de l'enseignement de stratégies de lecture. Il serait cependant important de savoir quelles stratégies se révèlent le plus utiles, et cela en fonction d'un niveau de compétence particulier et également par rapport à certaines variables individuelles (par exemple, le style d'apprentissage de l'étudiant). Il revient aux didacticiens d'explorer ces questions avec l'appui des enseignants qui intègrent déjà dans leur pratique pédagogique des stratégies d'apprentissage.

CHAPITRE 5

La lecture en langue seconde

Comme nous venons de le voir, la construction du sens en lecture met en oeuvre un mécanisme complexe d'opérations intellectuelles. En pénétrant dans le monde des langues secondes, la situation semble encore se compliquer et d'autres problèmes viennent s'ajouter, problèmes reliés en partie à la compétence linguistique ou encore à certaines variables affectives. Dans un premier temps, nous définirons les traits qui caractérisent la lecture en langue seconde pour nous arrêter ensuite aux facteurs qui permettraient de mieux comprendre les difficultés qui s'y rattachent.

A) Les caractéristiques de la lecture

Une lecture plus lente

En comparant les mouvements des yeux des lecteurs en langue maternelle et des lecteurs en langue seconde, on a constaté que ces derniers font davantage de fixations, qu'elles sont d'une plus longue durée et que les retours en arrière sont aussi plus nombreux (Bernhardt 1986). Des expériences en laboratoire ont également montré qu'en lecture silencieuse il se produit de temps à autre, chez le lecteur en langue seconde, comme d'ailleurs en langue maternelle, une certaine activité au niveau du larynx: le lecteur parle à voix basse, il subvocalise. On a observé que le lecteur en langue seconde a tendance à subvocaliser très fréquemment, surtout s'il a des difficultés à comprendre ce qu'il lit (Hatch 1974). Fixations plus fréquentes et plus longues, de nombreux retours en arrière, une tendance à la subvocalisation, voilà autant d'éléments qui concourent à freiner la vitesse de lecture.

Une lecture lettre par lettre, linéaire, fragmentaire

Nous savons que la reconnaissance des mots, leur classement par rapport à l'acquis, c'est-à-dire à l'information en mémoire, se fait de façon très rapide, voire automatique chez le bon lecteur en langue maternelle. Par contre, le lecteur en langue seconde a tendance à lire lettre par lettre, au fil du texte, en faisant des efforts d'attention soutenue pour reconnaître les graphèmes (Cziko 1980). L'information est amenée, sous forme de fragments isolés, à la mémoire à court terme, ce qui a pour conséquence pratique de la surcharger; elle manque alors de ressources pour pouvoir effectuer des tâches plus complexes comme celle de reconnaître les relations entre les mots. Cela explique que la lecture reste fragmentaire.

Néanmoins, les problèmes relatifs aux mouvements des yeux, à la subvocalisation et au fonctionnement de la mémoire à court terme n'expliquent pas complètement ces difficultés. En fait, si le lecteur lit lentement c'est peut-être parce que ses connaissances linguistiques sont trop limitées, ou parce qu'il ne sait pas mettre en oeuvre certaines stratégies de compréhension, ou encore parce qu'il existe certaines barrières affectives. Voyons maintenant de manière plus précise quel pourrait être l'effet de ces différents facteurs.

B) Les sources de difficulté

Des connaissances linguistiques limitées

Des expériences menées depuis une vingtaine d'années ont permis de constater qu'il y aurait une relation entre la lecture laborieuse que pratiquent les étudiants de langue seconde et le fait qu'ils connaissent mal la grammaire et en particulier les traits syntaxiques de la langue (Berman 1984).

Plus encore que la grammaire, un vocabulaire restreint pourrait limiter la capacité de comprendre un texte. À cet effet, certains chercheurs ont avancé l'idée qu'un vocabulaire de 1 500 à 2 000 mots serait insuffisant pour pouvoir lire convenablement des textes authentiques (voir La recherche textuelle et les documents authentiques).

Toutefois, les expériences menées avec des étudiants q[ui ont] atteint un niveau de bilinguisme élevé (français / anglai[s ou anglais /] français) ont montré qu'ils étaient malgré tout moins se[...] contraintes orthographiques (on sait par exemple qu'il [...] chances que la lettre i soit suivie d'une consonne que d'u[ne] voyelle) et moins habiles à utiliser les redondances le[...] [...] répétitions au moyen de substantifs, pronoms, etc. [...]ls lisaient dans leur langue seconde, ce qui contribue na[...]nt à ralentir la vitesse de lecture (Favreau et Segalowitz [...]uit le plus souvent à la compréhension. Les recherches [...]et montré que les lecteurs rapides comprennent mieux [...] [...]ec-teurs lents. Dans ce cas particulier, ce n'est donc pas l[...] [...]ce linguistique qui serait en cause mais plutôt certain[...] [...]mes de lecture qui dépendent d'activités perceptuelles [...]ves. Il faudrait cependant signaler que les expériences qu[...] [...]nons de mentionner ont été faites en laboratoire et qu'[...] [...]aient uniquement sur la reconnaissance de mots et d'énon[...] [...]n'indi-que donc avec certitude que dans des conditions n[...] de lec-ture on aurait obtenu les mêmes résultats.

Quel est donc l'influence réelle de la compétence linguistique sur la lecture en langue seconde? Existe-t-il un « niveau seuil » en deçà duquel les exigences de la lecture seraient trop grandes? Posséder un bon vocabulaire et connaître les mécanismes grammaticaux de base ne peuvent être que des avantages pour le lecteur en langue seconde, et c'est ce que semblent d'ailleurs montrer les résultats des recherches menées depuis quelques années (Carrell 1988; Clarke 1988; Devine 1988). En bref, il existe beaucoup d'arguments convaincants pour affirmer qu'une compétence linguistique limi-tée a un effet sur le processus de traitement de l'information et éventuellement sur la mise en oeuvre d'habiletés et de stratégies, comme nous allons le voir dans les lignes qui suivent.

En ce qui concerne l'existence d'un « niveau seuil », la problémati-que est plus complexe, les études semblant indiquer que si un niveau seuil existe, il n'est pas absolu et il peut varier en fonction de l'apprenant. Il faudrait alors prendre en considération certai-nes variables cognitives et affectives ainsi que le type de tâche exi-gée de l'apprenant (Hudson 1982).

Un répertoire de stratégies limité ou inadéquat

Comme nous l'avons vu, le lecteur néophyte en langue seconde est assez malhabile; de plus il ne sait pas mettre en oeuvre certaines stratégies qui pourraient l'aider à surmonter des difficultés. On a constaté qu'un bon lecteur en langue maternelle ne transfère pas automatiquement en langue seconde ses habiletés et ses stratégies. Au contraire, il tend spontanément à régresser lorsqu'il lit dans sa langue seconde, en faisant appel au déchiffrage (souvent subvocalisé) ainsi qu'à la traduction, aux fins de vérification, comme principales stratégies de compréhension (Lehmann et Moirand 1980).

Rappelons que les recherches concernant les stratégies de lecture, en particulier en ce qui concerne le français langue seconde, sont plutôt récentes. Il s'agit en général d'études pédagogiques où l'on s'efforce d'identifier certaines démarches mises en oeuvre par les apprenants pour appréhender le sens. À cet effet, les rappels (« recall analysis »), les recherches en laboratoire sur les mouvements des yeux, questionnaires ainsi que la technique de la réflexion à haute voix sont le plus souvent utilisés (Kern 1989).

L'hypothèse implicite de ces recherches – même si les premiers résultats demeurent encore difficilement généralisables – est que les stratégies de lecture devraient être enseignées, de sorte que les apprenants en langue seconde qui disposent d'un répertoire de stratégies limité ou inadéquat pourraient probablement y gagner en devenant de meilleurs lecteurs. On ose même avancer l'idée que la connaissance de stratégies de lecture efficace pourrait exercer un effet compensatoire par rapport à une composante plus faible, en l'occurrence la composante linguistique. Cela bien sûr reste à démontrer.

Fait intéressant à observer: les auteurs de matériel pédagogique dans le domaine de la lecture accordent de plus en plus d'importance à l'enseignement de stratégies de compréhension qui figurent maintenant au nombre des activités habituellement proposées. Nous reviendrons sur ce point important au moment d'aborder la question des interventions pédagogiques.

Une lecture accompagnée d'inquiétude

La prise en compte de variables affectives dans l'apprentissage est assez récente et si de nombreuses variables sont encore difficiles à cerner, le manque de confiance en soi et l'inquiétude pourraient constituer des facteurs importants, en particulier dans l'apprentissage d'une langue seconde. À cet égard, Krashen (1982) a souligné le rôle crucial que joue l'inquiétude (« anxiety ») et ses conséquences néfastes sur l'acquisition d'une langue seconde.

En observant le comportement du lecteur jeune adulte et adulte en langue seconde, on a souvent remarqué cette inquiétude, cette nervosité qui se manifestent au contact des textes étrangers et la tâche devient un obstacle presque infranchissable: on bute sur le premier mot qu'on ne comprend pas et le sujet se révèle ici comme paralysé par l'obstacle. Dans ce cas particulier, le recours à des stratégies d'anticipation, d'esquive, de mise de côté de l'inconnu pour y revenir plus tard, aurait été particulièrement utile et aurait certainement aidé à franchir l'obstacle.

La réponse donnée par un lecteur en anglais langue seconde à qui on demandait d'utiliser la stratégie du contexte pour trouver le sens d'un mot semblerait confirmer ces observations: « Je ne sais pas comment m'y prendre pour utiliser le contexte. La plupart du temps, je ne suis pas sûr de moi, je me sens démuni comme un étranger ou un enfant » (Vorhaus 1984:413 – traduction libre).

Pour certains chercheurs, ce manque de confiance en soi et l'inquiétude qui en résulte seraient attribuables à une compétence linguistique limitée, et pour d'autres, à une méconnaissance de certaines stratégies de compréhension. On avance également l'hypothèse qu'un environnement qui contribue à la réduction des barrières affectives apporterait une réponse satisfaisante à certains problèmes d'apprentissage.

Au terme de ce tour d'horizon, il apparaît que les apprenants en langue seconde sont des lecteurs plutôt médiocres qui consacrent beaucoup de temps à l'identification des lettres, des mots et des structures, ce qui se traduit par un engorgement de la mémoire à court terme et une certaine difficulté à appréhender le sens du texte dans son ensemble. Comme nous l'avons vu, la compétence linguistique et surtout la question du vocabulaire restent des préoccupations pour les didacticiens. Il importe également de signaler qu'une attention toute spéciale est maintenant accordée aux stratégies de compréhension ainsi qu'à certaines variables affectives. Beaucoup de travail reste encore à faire, notamment pour explorer le rôle que peut jouer chacune de ces composantes et le réseau de relations qu'elles entretiennent entre elles.

CHAPITRE 6

La recherche textuelle

A) En langue maternelle

Comme nous venons de le constater, un grand nombre de travaux ont porté sur les activités cognitives qui se manifestent en situation de lecture. Le texte est aussi un facteur important dans l'activité de compréhension et l'analyse des travaux qui s'y rapportent conduit à classer ces recherches en trois grandes catégories. Il y a d'abord les travaux portant sur les caractéristiques formelles du texte, plus précisément les recherches axées sur les formules de lisibilité ainsi que les tentatives de classification des textes en tenant compte de leur organisation globale. Une deuxième catégorie de travaux fait dépendre la compréhension des caractéristiques contextuelles c'est-à-dire des éléments qui font partie de l'environnement immédiat du texte, par exemple les titres, les images, les questions adjointes, les structurants introductifs, et la présentation matérielle du texte. Précisons que la technique des questions adjointes consiste à placer un certain nombre de questions au début, à l'intérieur ou à la fin d'un texte afin d'en vérifier la compréhension. Les structurants introductifs, que l'on présente durant l'étape de prélecture, sont des éléments susceptibles de faciliter la lecture du texte. Enfin, une dernière catégorie porte sur les caractéristiques sémantiques des textes et l'on retrouve ainsi des travaux de différents ordres portant sur le domaine référentiel du texte ou encore sur des analyses de textes qui refléteraient l'organisation des idées ainsi que le type de relations existant entre elles.

Avant de présenter ces différents aspects de la recherche textuelle en langue maternelle et en langue seconde, il conviendrait d'abord de définir ce que l'on entend par texte. Le mot « texte » désigne « un énoncé, quel qu'il soit, parlé ou écrit, long ou bref, ancien ou nouveau » (Dubois et al. 1973; cité par Deschênes 1988:19).

1. Les études formelles

Les recherches en lisibilité

Dans le but de faciliter la compréhension des textes, les chercheurs ont étudié certaines variables formelles (longueur des mots, des phrases, etc.) qui pourraient agir sur le niveau de difficulté d'un texte et c'est ainsi que l'on en est venu à élaborer des formules de lisibilité qui devaient permettre de juger du degré de difficulté d'un texte par rapport à un groupe spécifique de lecteurs.

Les premières formules de lisibilité auraient été élaborées aux États-Unis dans les années vingt et en 1959 on en dénombrait pas moins de vingt-neuf (Klare 1963). Parmi les plus connues, notons, pour l'anglais, les formules de Flesch (1974) et de Gunning (1952). C'est seulement vers les années cinquante que semblent avoir commencé les recherches en lisibilité pour le français, et c'est ainsi qu'en 1958, Kandel et Moles ont proposé une adaptation au français de la formule de Flesch. En 1975, Henry a élaboré les premières formules spécifiques au français, et quelques années plus tard, Richaudeau (1978) a mis au point une formule d'efficacité linguistique en lecture. Toutefois, la formule d'efficacité linguistique reste difficile à utiliser, certaines variables étant mal définies, en particulier le concept de « sous-phrase » élaboré par l'auteur.

Les mots difficiles sont également un des facteurs que quelques formules considèrent; on classe dans la catégorie « difficile » les mots qui n'appartiennent pas à certaines listes de fréquence élaborées à la suite d'enquêtes linguistiques. Les formules d'Henry font intervenir cette dernière variable et les mots d'un texte sont jugés difficiles s'ils n'appartiennent pas à la liste des 1 063 mots établie par Gougenheim en 1954; on se souvient que cette liste de fréquence de mots établie pour le français langue étrangère a été recueillie au moyen d'enquêtes par centres d'intérêts. Rappelons que ces enquêtes portaient exclusivement sur la langue parlée et que le vocabulaire recueilli a fourni la base du Français fondamental, 1er degré.

Les formules ont été fortement critiquées car on s'est vite rendu compte qu'elles ne permettaient pas de mesurer adéquatement le niveau de difficulté d'un texte. Bien entendu, les variables ont été mises en cause et on leur a reproché leur nombre en le jugeant soit trop limité, soit trop étendu. Si la formule est trop simple, c'est-à-dire si elle inclut un nombre très limité de variables, on peut se poser des questions sur sa validité. En revanche, un nombre de variables trop grand risque d'augmenter la complexité de la formule, et de la rendre difficile à utiliser. Nous pensons à la formule d'efficacité linguistique de Richaudeau qui repose sur une bonne douzaine de variables et qui demeure peu efficace, malgré son nom, à cause, justement, de ce grand nombre de variables difficiles à manipuler et souvent mal définies.

Si l'on en croit les formules, plus les phrases d'un texte seraient longues plus le texte serait difficile à lire. Pourtant, les expériences démontrent que ce n'est pas toujours le cas (Oller 1979; Davison et Kantor 1982). De la même façon, la variable «longueur des mots» a aussi été remise en cause (Goodman-Dreyer 1984).

On s'est également posé des questions sur la pertinence des listes de fréquence souvent utilisées pour évaluer la difficulté du vocabulaire contenu dans un texte; ces listes qui datent souvent de plusieurs années sont devenues partiellement inadéquates, en ce sens que certains termes ou mots que l'on utilise fréquemment aujourd'hui n'y figurent pas.

Le mot «formule» sous-entend une certaine idée de précision et l'on s'attendait bien sûr à ce que les formules présentent l'exactitude d'une équation mathématique et qu'elles mesurent avec précision le niveau de difficulté d'un texte. On demandait l'impossible ou des miracles à des instruments qui se fondent souvent sur un nombre limité de variables, alors que l'on sait qu'il n'y aurait pas moins de 288 facteurs pouvant affecter la lisibilité d'un texte (Gray et Leary; cités par Goodman-Dreyer 1984:334). De plus, parmi ces facteurs, on est encore loin de savoir quels sont les plus importants, c'est-à-dire ceux qui contribuent de façon significative à la lisibilité d'un texte.

En se fondant sur des résultats d'expériences, certains chercheurs ont volontiers attaqué les formules au cours des quinze dernières années, formules élaborées surtout pour l'anglais. Toutefois, il y aurait beaucoup à redire sur les méthodes utilisées par ces critiques durant leurs expériences, et en conséquence il est souvent difficile d'attacher une grande signification aux conclusions qu'ils proposent.

En bref, il faudrait garder à l'esprit que les formules fonctionnent à l'intérieur d'un cadre étroit et que, de ce fait, leurs possibilités sont réduites, ce qui ne devrait pas les empêcher pour autant de rendre certains services, par exemple donner une idée générale de la difficulté d'un texte. De façon concrète et en nous appuyant sur les travaux que nous avons menés (Cornaire 1985), nous pensons que la formule courte d'Henry peut donner des indices valables sur la lisibilité de textes de la presse écrite française pour la langue maternelle (classes de première, troisième et cinquième secondaire, c'est-à-dire des élèves de 12, 14 et 16 ans) et même pour la langue seconde comme nous allons le voir un peu plus loin.

Les tentatives de classification des textes

Il semble possible de distinguer quelques « grandes tentatives » de classification des textes (Adam 1985:39). Un premier courant est représenté par les psycholinguistes qui, en s'appuyant sur l'organisation globale des textes (c'est-à-dire leur structure), ont défini deux grands types de textes: les textes narratifs et les textes informatifs. Nous abordons maintenant les caractéristiques de chacun d'eux.

Le texte narratif consiste souvent en une description d'actions; sa structure assez simple se compose en général des éléments suivants: une exposition, une intrigue avec une complication et sa résolution et enfin, une évaluation (Denhière 1978). Ce canevas de base n'exclut pas pour autant la possibilité de séquences d'événements, de comparaisons, etc. Les expériences ont montré que ce type de texte, qui regroupe les narrations, les romans, les récits, les histoires, les contes, etc., est assez facilement accessible aux étudiants à cause, notamment, de la simplicité de sa structure.

Les premières recherches en compréhension ont été faites sur des textes narratifs, mais depuis quelques années, on s'intéresse également aux textes informatifs qui sont reconnus pour avoir une structure moins explicite, ce qui les rend un peu plus difficiles à comprendre (Frager et Thomson 1985; Kintsch et Young 1984; Taylor et Beach 1984; cités par Deschênes 1988). On a défini le texte informatif ou « expositif » (« expository prose ») à partir de ses buts: « Il vise à informer et à accroître la connaissance humaine dans un champ déterminé » (Blain, Bronckart et Schneuwley 1983:8; cités par Deschênes 1988:21). Notons que les annonces publicitaires, certains articles de journaux (faits divers, éditoriaux, etc.) et de revues scientifiques (textes didactiques, etc.) se rangent aussi dans ce type de texte.

À partir d'une étude sur la fréquence des structures dans les textes informatifs, Meyer et Bartlett (1985) ont proposé de retenir, pour l'anglais, cinq catégories qui correspondent à cinq types de structures ou de relations rendant compte de l'organisation du texte. On retrouve ainsi: la description, la séquence, la causalité, le problème / solution et la comparaison. La description se caractérise par l'énoncé d'un certain nombre de renseignements généraux ou particuliers, et de caractéristiques propres à un objet (au sens large du terme). La séquence, de son côté, présente des idées organisées par rapport à des événements qui sont en relation mutuelle et logique selon leur déroulement dans le temps. La causalité propose des idées en relation de cause à effet. Le problème / solution est constitué de deux parties: la partie « problème » et la partie « solution », ou encore il peut aussi s'agir d'une partie « question » et d'une partie « réponse ». Enfin, la comparaison fait ressortir des similitudes ou des différences entre deux ou plusieurs objets.

Chaque catégorie de texte est signalée par un certain nombre de mots clés ou articulateurs logiques; concrètement, en ce qui concerne une description, on retrouvera le plus souvent: « par exemple », « de plus », « encore », « et », etc. Pour une séquence, les mots clés utilisés pourront être les suivants: « d'abord », « ensuite », « alors », « enfin », etc.

Comme nous l'avons déjà mentionné, la compréhension de ces textes informatifs est plus difficile; des expériences ont en effet permis d'observer que les rappels sont moins bons, le nombre d'idées rapportées étant, entre autres, beaucoup moins important. Pour contourner cette difficulté particulière, il paraît important de sensibiliser les étudiants à la reconnaissance de la structure textuelle à partir de mots clés que l'on peut associer à une catégorie particulière de texte. Plusieurs recherches menées pour l'anglais et pour le français langues maternelles semblent en effet montrer que les bons lecteurs sont ceux qui savent se servir de la structure textuelle pour comprendre le contenu d'un texte et, éventuellement, le rappeler (Boyer 1986).

Un second courant, très connu, est issu des fonctions du langage. En partant du célèbre schéma de Jakobson (1963), Valiquette (1979) a élaboré une typologie qui regroupe cinq types de textes: les textes informatifs, incitatifs, expressifs, poétiques et ludiques. Voici brièvement une définition de chacun d'eux ainsi que quelques exemples qui permettent de mieux les illustrer.

Le texte informatif a pour objectif d'informer, de révéler des faits et il se retrouve dans les articles de journaux (reportages, faits divers), les revues scientifiques, etc. Le texte incitatif, quant à lui, a pour objectif de provoquer chez le lecteur une réaction, un changement d'attitude et de le faire agir; il s'actualise dans certaines annonces (par exemple, « X a besoin de volontaires »), les guides touristiques, les livres de recettes, etc. Le troisième type, le texte expressif, traduit une manifestation de la pensée, de l'émotion du sujet; il se retrouve dans le récit d'événements, la correspondance (lettres, cartes), etc. Le texte poétique met en scène la fantaisie et l'imaginaire; les récits, les contes et les bandes dessinées appartiennent à ce type de texte. Enfin, le texte ludique qui permet de jouer avec le langage, regroupe les charades, les devinettes, les textes humoristiques, etc.

Même si ces typologies renvoient à des cadres théoriques différents, il est fort intéressant d'observer que d'une certaine manière elles peuvent se recouper (on retrouve par exemple dans chacune d'elles le type informatif). Il ne faut cependant pas oublier que ces typologies demeurent des tentatives. Il arrive en effet fréquemment qu'un texte actualise en même temps plusieurs types textuels. On peut ainsi retrouver des énoncés de type informatif à l'intérieur de textes incitatifs, de la même façon qu'il est possible de retrouver des descriptions ou des comparaisons à l'intérieur de textes narratifs. Il importe, toutefois, d'arriver à reconnaître une dominante du texte, c'est-à-dire une catégorie dans laquelle le classer, ce qui aidera ensuite à le percevoir comme un tout organisé et cohérent.

2. Les études contextuelles

Avant de rapporter quelques études, il convient de rappeler que le mot contexte est utilisé ici dans le sens d'« environnement plus ou moins immédiat du texte » (Deschênes 1988:16) et que les variables contextuelles regroupent des éléments comme les titres, les images, les questions adjointes, les structurants introductifs.

On peut lire plus facilement un texte et s'en souvenir plus longtemps s'il est coiffé d'un titre ou accompagné d'une image (Bransford et McCarrell 1975). Bransford et Johnson (1973), ainsi que Rumelhart (1980), ont montré qu'un texte peut être difficile à lire parce que le lecteur ne dispose pas d'un cadre de référence, ou de schèmes pour l'interpréter et dans ce cas particulier, un titre ou une image que l'on ajoute au texte peuvent aider à sa compréhension.

Des chercheurs ont étudié les effets des questions adjointes pour le traitement de l'information. Dans ces expériences, les sujets (adolescents et adultes) lisaient un texte généralement assez long (2 000 à 15 000 mots) et pouvaient ou non répondre aux questions, le temps de la lecture n'étant pas limité. Après la lecture du texte, ils répondaient à un questionnaire constitué des mêmes questions que celles qui accompagnaient le texte. D'après les résultats obtenus, cette technique serait efficace dans certaines conditions: d'abord les questions ne doivent pas briser le rythme du récit, elles doivent être courtes, obliger le lecteur à faire des inférences et enfin il faudrait que le sujet y réponde au cours de la lecture (Ska 1983).

Les structurants introductifs servent de facteurs d'organisation en vue de l'intégration d'informations nouvelles. Ainsi, en prélecture, le professeur peut présenter des informations sur le domaine référentiel du texte et cela peut prendre la forme de questions qu'il pose aux étudiants, d'un court résumé du texte qu'il leur propose, d'une présentation de diapositives, etc. Reder et Anderson (1980) ont montré, par exemple, que les résumés sont une excellente façon de préparer les étudiants à la lecture d'un texte assez long. Les recherches montrent en général que les structurants introductifs améliorent la performance des sujets. Toutefois, ils doivent être d'un plus haut niveau de généralité que le texte lui-même (Ska 1983; Deschênes 1988).

Enfin, la présentation matérielle du texte, par exemple, la couleur de l'encre et du papier, la typographie, etc. sont aussi d'autres facteurs qui peuvent influer sur la lisibilité d'un texte, comme Richaudeau l'a noté dans ses études dans ce domaine (1969). Comme le montre la recherche actuelle, la lecture d'un texte à l'écran cathodique d'un ordinateur soulève également des problèmes complexes. Ces problèmes seraient reliés en grande partie aux modalités de représentation graphique (la grosseur des caractères, le nombre de lignes, etc.) et dynamique de l'édition informatisée des caractères typographiques (la vitesse de défilement à l'écran, par exemple) et pourraient se traduire par certains effets sur le rendement en lecture.

3. Les études sémantiques

Plusieurs chercheurs se sont intéressés au contenu, plus précisément au domaine référentiel du texte, et ils ont tenté d'établir des relations entre cette caractéristique et la compréhension de la signification. C'est ainsi que l'on a proposé des textes qui traitent de baseball à des sujets répartis en deux groupes: les connaisseurs et les non-connaisseurs (Spillich 1979; cité par Ska 1983:123). Ces recherches ont mis en évidence le fait que la familiarité avec un sujet ou l'intérêt qu'on lui porte influencent directement la compréhension et la mémorisation d'un texte.

Au plan du contenu encore, il faut noter certains travaux importants concernant l'analyse propositionnelle (Meyer 1975; Kintsch 1974). Ces analyses de textes sont souvent très complexes et il est difficile d'essayer de les résumer en quelques mots. Voici cependant un bref aperçu du modèle proposé par Meyer et plus précisément de son analyse de texte. Pour Meyer, comme pour Kintsch d'ailleurs, un texte peut être représenté par une liste ordonnée de propositions qui représentent la signification ou la base de ce texte et qui seraient idéalement un modèle de la structure mentale du lecteur.

Prenons, par exemple, la proposition lexicale suivante:

« Les premiers perroquets vivants ont été amenés d'Australie en Europe ... ».

Elle peut être représentée par le graphe qui suit:

ont été amenés (prédicat lexical)

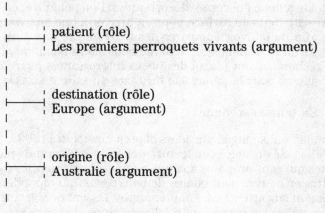

patient (rôle)
Les premiers perroquets vivants (argument)

destination (rôle)
Europe (argument)

origine (rôle)
Australie (argument)

(Meyer 1975; exemple donné par Ska 1983:127).

Ainsi, une proposition contient un prédicat lexical, le plus souvent un verbe et plusieurs arguments; en général des noms. Les rôles que jouent les arguments auprès du prédicat sont spécifiés par des étiquettes, comme « agent », « instrument », « patient », « origine », etc.

Quel est l'avantage d'une telle analyse? Selon Meyer, elle permettrait de préciser les différences et les ressemblances entre les textes et de pouvoir analyser plus finement les rappels des lecteurs. Malgré le fait que cette analyse de texte demande un temps considérable, le découpage du texte pouvant être assez difficile, on doit noter que c'est celle que l'on utilise le plus souvent dans les expériences en compréhension avec rappels de textes.

Dans le cadre de la validation d'une série de textes de lecture pour un niveau donné en langue seconde, cette analyse propositionnelle devrait se révéler particulièrement utile; on pourrait, par exemple, l'utiliser en parallèle avec d'autres instruments comme les formules de lisibilité, l'épreuve de closure ou encore les tests classiques de compréhension de l'écrit (questions ouvertes, questions à choix multiples, etc.). Cette démarche permettrait peut-être d'échapper à certaines critiques formulées à l'endroit des instruments utilisés traditionnellement pour la validation des textes de lecture (pour une recension des écrits concernant la validité de ces différents tests de lecture, voir Cornaire 1985).

Le texte a donc été cerné, décortiqué, si l'on peut dire, en passant de ses attributs de surface pour en arriver à une analyse structurale afin de pouvoir comparer des textes entre eux ainsi que les rappels qu'ils déclenchent. Comme nous allons maintenant le voir, ces recherches ont fourni des pistes intéressantes pour la langue seconde et pour la pédagogie du texte en salle de classe.

B) En langue seconde

Comme l'ont souligné plusieurs chercheurs (Nuttall 1982; Swaffar 1985), la clé du succès en lecture dépendrait en grande partie des textes qui sont proposés aux apprenants. Quels sont les moyens à mettre en oeuvre pour choisir de bons textes qui répondent effectivement aux attentes des apprenants et fassent de la lecture, autre chose qu'un simple prétexte à l'acquisition de connaissances linguistiques? Une recension des travaux sur la recherche textuelle en langue seconde pourrait être le meilleur moyen de faire le point sur nos connaissances dans ce domaine. Une bonne préparation à faire des choix plus raisonnés, lorsqu'il s'agit de sélectionner des documents pédagogiques pour l'enseignement de la lecture à des fins de communication, serait également souhaitable.

Comme nous venons de le voir, il existe pour l'anglais et le français langues maternelles plusieurs formules de lisibilité qui peuvent, dans une certaine mesure, aider l'enseignant à évaluer le niveau de difficulté des textes. Qu'en est-il pour la langue seconde? C'est à cette question que nous allons d'abord répondre en présentant quelques travaux effectués dans le domaine de la lisibilité; nous poursuivrons en rapportant quelques recherches portant sur la structure textuelle, ainsi que sur les caractéristiques contextuelles des textes.

L'aspect sémantique, ou du contenu du texte: grammaire et vocabulaire, champs référentiels et socio-culturel, a donné lieu à plusieurs recherches que nous allons également rapporter. Enfin, la question de l'authenticité des documents a fait couler beaucoup d'encre et a préoccupé les didacticiens, comme nous pourrons le constater à partir de quelques études. Voici donc un aperçu de ces recherches touchant à la fois les aspects formels et les aspects sémantiques du texte.

1. Les études formelles

Les formules de lisibilité

Les travaux sur la lisibilité en langue seconde se font moins nombreux qu'il y a une vingtaine d'années et cela s'explique par la désaffection des chercheurs envers les formules qui avaient été élaborées pour la langue maternelle et plus spécifiquement pour l'anglais. Les formules n'ont pas répondu aux attentes de leurs concepteurs. Peu de tentatives ont été faites pour essayer de mettre au point une formule pour la langue seconde.

En anglais langue seconde, la portée des études menées sur la lisibilité, depuis une dizaine d'années, est assez réduite. À notre connaissance aucun chercheur n'a proposé de formule de lisibilité au sens strict du terme pour l'anglais langue seconde. Certains ont toutefois suggéré d'ajouter, aux variables traditionnelles sur lesquelles s'appuient les formules, des variables linguistiques: degré de complexité syntaxique, nombre et fréquence des congénères, etc., en faisant remarquer que de telles variables pourraient avoir une pertinence pour la lecture en langue seconde (Laroche 1979). Les congénères comprennent les homographes dont la graphie est semblable en français et en anglais (table; direction; information; etc.) et les parographes, qui présentent quelques différences de forme (beauté, beauty; acteur, actor, etc.). Les congénères peuvent faciliter la lecture, en particulier pour un anglophone qui lit un texte en français (Grelet – Tréville 1990); par contre, un degré élevé de complexité des phrases peut contribuer à rendre un texte difficile pour les étudiants en langue seconde qui ne possèdent pas toujours une compétence linguistique suffisante.

Un ensemble de textes calibrés par niveau de difficulté a également été proposé comme matériel de lecture pour l'anglais ou l'allemand langue seconde (pour une recension des écrits sur cette question, voir Carrell 1987). Pour juger du degré de difficultés de ces textes, on a fait appel aux jugements d'experts, en l'occurrence des professeurs de langues. Ce procédé a souvent été critiqué: une étude expérimentale de De Landsheere en français langue maternelle montre en effet qu'il faut être assez circonspect concernant les jugements d'experts car les marges de variations dans l'évaluation des textes sont souvent très élevées d'une personne à l'autre (citée par Henry 1975).

En ce qui concerne le français langue seconde, nous avons exploré les possibilités d'application de la formule courte d'Henry (Cornaire 1985) et nous aimerions rapporter les grandes lignes de cette étude en précisant d'abord de quelle façon Henry a élaboré la formule courte, sur quoi elle se base et comment l'appliquer. Auparavant, il conviendrait de préciser les motifs qui nous ont amenée à nous intéresser aux formules de lisibilité.

On sait que le professeur de langue utilise très souvent les articles de la presse écrite, ne serait-ce que pour mettre les étudiants en contact avec des documents authentiques. Faute de moyens rapides et efficaces, c'est le plus souvent de façon empirique qu'il doit évaluer la lisibilité d'un texte de presse écrite, c'est-à-dire son niveau de difficulté. Il serait fort utile de disposer d'une technique qui permettrait de prédire dans quelle mesure un texte en français pourra être compris par des étudiants anglophones d'un niveau donné. Dans cette optique, les formules élaborées par Henry pourraient présenter certains avantages, en particulier la formule courte. Comment ces formules ont-elles été construites, sur quoi se basent-elles et de quelle façon peut-on les mettre en pratique?

En 1975, Henry a mis au point un jeu de trois formules en procédant de la façon suivante: il a d'abord sélectionné un certain nombre de variables prédictives. Henry (1975:63) note que les variables prédictives sont de « simples indices » de la difficulté d'un texte; la longueur des phrases par exemple, figure au nombre de ces variables prédictives. Puis, il a choisi le test de closure comme instrument de validation des formules. Ces dernières ont été validées en fonction de trois niveaux scolaires qui correspondraient, dans le système québécois, aux classes de première, troisième et cinquième de l'ordre de l'enseignement secondaire, c'est-à-dire à des élèves de 12, 14 et 16 ans (Fortier 1982).

Les deux premières formules (huit et quinze variables) sont assez complexes à utiliser sans programme informatisé. La troisième formule, la formule courte, est fondée sur trois variables: le nombre de mots par phrase (MP), les mots qui n'apparaissent pas dans la liste du *Français Fondamental* (AG) – on doit compter, dans le texte à analyser, les mots qui ne font pas partie de cette liste de 1 063 mots – et enfin, les indicateurs de dialogue (DEXGU) (points d'exclamation, guillemets, prénoms employés seuls). La formule courte est celle qui est le plus facile à utiliser pour le moment.

Le calcul des scores de lisibilité d'un texte au moyen de la formule courte peut se faire manuellement, en utilisant les tables fournies par Henry (1975) à cet effet, et l'on peut également se servir du logiciel mis au point par Fortier et Berthelot (1984).

Comme nous l'avons déjà fait remarquer, on a adressé un certain nombre de critiques aux variables utilisées dans les formules, en particulier en ce qui concerne la longueur des phrases. Il peut arriver, dans certains cas, qu'une phrase courte soit plus difficile à comprendre qu'une phrase plus longue et une succession de courtes propositions peut entraîner également une difficulté plus grande pour le lecteur.

Il serait également facile de remettre en question la pertinence de la liste de mots du Français fondamental élaborée il y a déjà près de quarante ans. Le corpus a vieilli et certains termes utilisés fréquemment aujourd'hui n'y figurent pas. Pourtant, Surridge (1984) a découvert que 80 p.100 des mots d'une série d'articles de journaux canadiens de langue française, datant de 1982, provenaient du Français fondamental. Cette liste peut donc encore répondre à certains besoins.

Des expériences ont été menées avec des étudiants francophones et anglophones (Cornaire 1985) et nous avons déjà mentionné brièvement les résultats obtenus avec les groupes francophones, lorsque nous avons traité des formules de lisibilité en langue maternelle. Qu'en est-il maintenant pour le français langue seconde? En se fondant sur les résultats obtenus avec les groupes d'étudiants anglophones, il est raisonnable de penser que la formule pourrait être utilisée pour des étudiants de niveaux intermédiaire et avancé en français langue seconde. Naturellement, il faut se souvenir qu'elle ne donne qu'un indice de la lisibilité d'un texte, c'est-à-dire une évaluation très générale de son niveau de difficulté. Dans un article intitulé « Lisibilité et français langue seconde » (1989), nous décrivons une méthode assez rapide, à partir de la formule courte et des tables fournies par Henry (1975), pour obtenir les scores de lisibilité d'un texte de lecture destiné à des étudiants de français langue seconde; les personnes intéressées à utiliser la formule pourront se référer à cette publication.

En terminant ce volet portant sur les études en lisibilité, nous aimerions mentionner que la technique de closure est également utilisée pour mesurer la lisibilité d'un texte. Concernant cette question on voudra bien se rapporter à notre étude intitulée « Test de closure et lisibilité? » (Cornaire 1986).

La structure textuelle

Comme les résultats des recherches l'ont montré pour la langue maternelle, les textes bien organisés et qui présentent une structure régulière offrent moins de difficulté de compréhension; c'est également ce qui ressort d'expériences menées en anglais langue seconde à partir de textes narratifs (Carrell 1987). Par ailleurs, d'autres études, également en anglais langue seconde, ont permis de mettre en évidence que la reconnaissance de la structure d'un texte ou encore du plan suivi par l'auteur permet à l'étudiant de faire de meilleurs rappels en rapportant davantage d'idées (Carrell 1984). Carrell (1985) préconise donc de former les étudiants à reconnaître la structure des textes au moyen d'exercices systématiques à partir de différents types de textes. On a toutefois constaté que les mots clés ou les articulateurs (par ex., cependant, quoique, malgré, etc.) qui sont associés à un type particulier de texte présentent beaucoup de difficultés pour les étudiants (Bensoussan et Laufer 1984). Il faut donc attirer l'attention des étudiants sur ces éléments importants et leur apprendre à les associer à un type particulier de texte.

Les résultats des recherches sur la structure textuelle semblent donc prometteurs, ce qui incite naturellement les chercheurs en français langue seconde à s'intéresser à cette question.

2. Les études contextuelles

Les chercheurs ont démontré que pour la lecture en langue maternelle certaines caractéristiques contextuelles comme les titres, les images et les questions adjointes pouvaient, dans certaines conditions, avoir un effet sur la compréhension d'un texte. En ce qui concerne la langue seconde, de nombreux didacticiens pensent aussi que ces moyens peuvent faciliter la compréhension. Toutefois, les résultats de la recherche dans ce domaine particulier sont assez minces, à l'exception peut-être des travaux de OMaggio sur les images (1979). Cette recherche, menée avec des étudiants de niveau débutant en français langue seconde («beginning college French»), montre en effet que l'image qui est assez dépouillée a une réalité structurante et permet une meilleure compréhension du texte.

3. Les études sémantiques

La grammaire et le vocabulaire

Les étudiants en langue seconde possèdent d'habitude une compétence linguistique limitée et il s'ensuit qu'un texte peut être difficile à cause de certains points de grammaire ou du vocabulaire. En ce qui concerne la grammaire, les enchâssements successifs d'énoncés qui contribuent à la création de phrases extrêmement denses en informations (phrases nominales, infinitives, subordonnées, pour ne citer que quelques exemples) pourraient rendre un texte particulièrement difficile à lire pour les apprenants en langue seconde (Kern 1989). De plus, si la syntaxe du texte présente des caractéristiques très différentes de celle de la langue maternelle de l'étudiant, la tâche deviendrait encore plus ardue (Berman 1984).

Le vocabulaire pourrait également créer un grand blocage dans la compréhension, sinon le plus grand (Cooper 1984). Certains travaux suggèrent que les mots du contenu (substantifs, verbes, adjectifs, etc.) sont aussi difficiles à reconnaître que les mots fonctionnels (prépositions, conjonctions, etc.) du fait que la signification de ces unités de contenu n'est pas fixée mais qu'elle est dépendante du contexte (Bensoussan et al. 1984). On sait qu'une unité linguistique particulière correspond à une distribution entière de significations et en lisant un texte, le problème est de savoir choisir correctement parmi celles qui sont possibles; mais pour savoir choisir, encore faut-il les connaître. Certains travaux insistent également sur le fait que les mots fonctionnels – et tout spécialement les «connecteurs» ou «articulateurs logiques» – qui jouent un rôle de première importance dans l'enchaînement des énoncés en assurant la cohérence du texte, seraient la plus grande source de difficulté pour les étudiants, car bien souvent le contexte n'aide guère à identifier leur signification (Cooper 1984).

Plusieurs études récentes laissent malgré tout planer un sérieux doute sur la validité de ces travaux et sur les conclusions auxquelles ces chercheurs en sont arrivés. Pour William (1989:218), par exemple, c'est un faux problème que d'essayer de savoir si c'est la grammaire ou le vocabulaire qui constitue la plus grande source de difficulté en lecture, comme plusieurs chercheurs ont essayé de le déterminer. Selon lui, la réponse dépend essentiellement du lecteur et de ses connaissances. Il explique en effet qu'un étudiant, même débutant, qui connaît bien le domaine de référence du texte qu'il lit aura certainement moins de problèmes de vocabulaire que de grammaire. Par contre, un étudiant de niveau intermédiaire, mais qui ne possèderait pas ces connaissances, aurait probablement beaucoup plus de difficultés lexicales que de difficultés grammaticales à lire le même texte.

Les champs référentiels et socio-culturels des textes

Des textes dont le sujet est familier aux étudiants sont mieux reçus et plus accessibles, comme le montrent plusieurs études menées pour l'anglais et le français langues secondes (Alderson et Urquhart 1984; Cornaire 1985; Carrell 1987). Par ailleurs, la réalité socio-culturelle véhiculée par un texte est un élément important qui peut affecter la compréhension et dont il faut tenir compte en sélectionnant les textes. Johnson (1981) en a fait la démonstration en faisant lire à des étudiants iraniens dans leur langue seconde, c'est-à-dire en anglais, un conte américain et un conte iranien. La compréhension du conte américain a présenté beaucoup de difficultés et cela principalement à cause de la méconnaissance de la réalité socio-culturelle du texte. Floyd et Carrell (1987) ont également fait une expérience intéressante en anglais langue seconde avec des étudiants de cultures diverses (Latino-Américains, Grecs, Iraniens, etc.). Voici brièvement en quoi cette expérience consistait: les étudiants devaient lire deux lettres (de deux niveaux de difficulté) décrivant la célébration de la fête nationale des États-Unis à Boston au Massachussetts, faire ensuite un rappel écrit des descriptions et répondre à des questions à choix multiples. Des discussions en classe, une présentation de diapositives, des jeux, des pièces musicales (et même un pique-nique où l'on avait préparé des spécialités culinaires traditionnelles à Boston le 4 juillet) ont servi d'amorce à la lecture des lettres par les étudiants du groupe expérimental. Le groupe de contrôle, de son côté, a procédé à la lecture des textes sans préparation particulière.

En comparant les résultats du groupe de contrôle à ceux du groupe expérimental les chercheurs ont constaté:

a) que la connaissance du sujet du texte facilite la lecture et

b) que la connaissance du champ socio-culturel où se situe le texte joue un rôle primordial, plus important peut-être que le contenu linguistique. Et les auteurs de conclure: «Ceux qui enseignent la lecture en langue seconde doivent proposer des textes dont le contenu culturel est approprié aux étudiants; ils doivent aussi faciliter l'acquisition des schèmes appropriés au contenu culturel des textes» (Floyd et Carrell 1987:103 – traduction libre).

Les documents authentiques

Les textes pédagogiques des années soixante et soixante-dix se contentaient souvent de présenter une série de structures, selon une certaine progression, d'une langue qui n'était guère représentative de celle utilisée dans la communication réelle. Avec l'avènement de l'approche communicative, il est devenu essentiel de mettre les étudiants devant des «modèles de communication, du matériel puisé dans la vie réelle» (Besse 1980:42), et désormais le document authentique va occuper une place de choix dans le matériel pédagogique qui sera sélectionné par le professeur. Concernant l'étiquette «authentique», plusieurs chercheurs se sont empressés de faire remarquer, avec raison, que l'authenticité ne tient pas à la nature même du document mais qu'il s'agit plutôt d'un rapport entre un destinateur et un destinataire (Duplantie 1986).

Comme on l'a souligné à plusieurs reprises, le matériel dit «authentique» offre des échantillons de discours qui regroupent souvent toutes les difficultés à la fois et cet état de fait peut causer chez l'élève un stress qui est néfaste à l'apprentissage. De nombreuses recherches tendent en effet à prouver que les facteurs psychologiques jouent un rôle primordial dans l'acquisition d'une langue seconde. Si tel est le cas, il serait alors préférable, comme le suggèrent fortement certains didacticiens, d'utiliser des textes simplifiés (Devine 1988) ou peut-être du matériel dont la difficulté se situe à peine un cran au-dessus du niveau de compétence de l'apprenant (Krashen 1982).

Pourtant, le recours aux textes simplifiés n'a pas la faveur de tous et certains chercheurs recommandent même l'usage exclusif de textes authentiques qui seraient plus intéressants et plus motivants pour l'étudiant et l'encourageraient à apprendre (Moirand 1979; Grellet 1981; Swaffar 1985). Selon ces mêmes chercheurs, s'attarder aux difficultés d'ordre linguistique que présentent les documents authentiques serait un faux problème, et il suffirait en effet pour pallier ces difficultés de proposer des exercices d'exploitation du texte qui soient faciles et adaptés au niveau des étudiants.

Que peut-on tirer de ces conclusions diverses, sans cohésion évidente, et qui s'appuient sur des interprétations différentes de l'apprentissage? Doit-on écarter le texte authentique? Pour Moirand (1977:53), il est difficile de chasser l'authentique de la salle de classe, sans qu'il ne revienne au galop, comme elle le note. Il faudrait cependant faire preuve de prudence dans l'usage de documents authentiques car, comme certains chercheurs l'ont fait remarquer, le recours obligatoire aux documents authentiques qui ne reprennent qu'exceptionnellement les mêmes formes linguistiques pourrait aller à l'encontre des hypothèses sur le fonctionnement de la mémoire et son besoin de classer et d'organiser.

En tant que professeur de langue, nous savons pertinemment que les textes qui sont trop difficiles ennuient les étudiants, contribuent à créer un sentiment de frustration et conduisent souvent à l'échec. Ce qui ne veut pas dire que les textes authentiques devraient être bannis de la salle de classe. Nous pensons au contraire qu'ils ont leur place à condition qu'ils soient convenablement dosés, et dispensés en petite quantité au début du trimestre ou du cours, tout au moins. De plus, il faudrait préalablement avoir pris soin de bien préparer les étudiants aux difficultés qui vont se présenter dans ce type de documents. Cela signifie planifier des activités qui vont permettre aux étudiants de tolérer plus facilement un certain degré d'ambiguïté. Il faut les amener, par exemple, à accepter qu'il n'est pas nécessaire de comprendre chaque mot d'un texte lorsqu'ils lisent en langue seconde; car il ne va pas de soi, comme on a trop tendance à le croire, de tolérer facilement un certain degré d'imprécision lorsqu'on lit en langue seconde. Il est donc indispensable d'aider les étudiants à surmonter cette difficulté, de les préparer en quelque sorte à l'aventure de l'authentique. Il existe à l'heure actuelle plusieurs modèles de démarches pédagogiques qui vont dans ce sens.

En début d'apprentissage de la lecture, il est bon de rassurer l'étudiant et la meilleure façon de le faire est de lui présenter du matériel « lisible »; dans cette optique, la formule courte d'Henry peut, comme nous l'avons déjà mentionné, fournir des indices de lisibilité pour la langue seconde. En outre, la structure textuelle et certains éléments linguistiques, référentiels et socio-culturels doivent être pris en compte lorsqu'il s'agit de sélectionner le matériel pédagogique. Comme nous l'avons vu, le document authentique est valable dans la mesure où l'étudiant a été préparé à jouer le jeu de l'authentique. Ce qui assure l'authenticité d'un texte, c'est finalement l'authenticité de sa réception par les étudiants et il faut faire en sorte de choisir une démarche pédagogique qui favorise le mieux cette authenticité.

Avec la recherche textuelle se termine notre survol des études descriptives et théoriques sur la lecture en langue maternelle et en langue seconde. Dans les pages qui suivent, nous allons tenter d'esquisser un cadre pédagogique pour l'enseignement / apprentissage de la lecture dans la perspective des nouvelles orientations.

CHAPITRE 7

Les interventions pédagogiques

La théorie et la pratique sont complémentaires. Idéalement la théorie devrait tracer la route à suivre, ou du moins fournir des points de repère. Malgré le fait que certains résultats de recherche sont encore assez fragmentaires et difficiles à interpréter dans le domaine de la lecture en didactique des langues, il se dessine malgré tout une tendance que l'on retrouve chez la majorité des spécialistes dans le domaine: l'accent doit être mis sur l'apprenant et sur le processus d'apprentissage. À partir de cette approche centrée sur l'apprenant, nous allons présenter quelques implications pédagogiques pour l'enseignement de la lecture en nous attachant d'abord au projet de lecture ainsi qu'aux étapes de lecture et ensuite à l'enseignement de stratégies de lecture.

A) Le projet de lecture et les étapes de la lecture

Les résultats de quelques expériences menées en anglais langue maternelle montrent que l'apprentissage y gagne lorsque les étudiants ont un projet de lecture ou des objectifs bien définis avant d'aborder un texte (pour une recension des écrits concernant cette question, voir Tierney et Cunningham 1984). Les projets de lecture (ou les objectifs de la lecture) en situation scolaire peuvent être multiples: on lit d'habitude pour s'informer, apprendre, exécuter une tâche particulière, etc. Ainsi, la plupart des activités de lecture proposées dans *Radio-Puce* (Tardif et Arseneault 1986), une méthode d'enseignement du français langue seconde qui s'adresse aux jeunes de 14 à 16 ans, amènent l'élève à accomplir une tâche particulière. Comme on le fait remarquer dans le *Guide d'utilisation* (p.2), « certaines tâches dépassent le cadre de la salle de classe de langue et témoignent d'un souci d'interdisciplinarité dont on reconnaît de plus en plus l'importance en éducation ». À titre d'exemple, l'une des tâches peut même consister à proposer à l'élève d'exécuter une danse aérobie (voir livre de l'élève, p.54 à 57).

Outre ces projets, l'apprenant a maintenant la possibilité de lire pour se distraire, pour s'amuser, au moyen de textes humoristiques (voir *Radio-Puce*, livre de l'élève, p. 114). Il s'agit là d'une dimension nouvelle qui se rapproche de la situation « naturelle » de lecture et qui vise à créer un climat de détente tout en permettant d'apprendre de façon agréable des mots de vocabulaire liés au thème que l'on étudie.

Notons que si l'on choisit plusieurs textes appartenant au même domaine, il est alors relativement facile de définir des projets de lecture réalisables au moyen d'activités communes, ou en équipes, ou encore d'activités individuelles qui permettent à l'apprenant de travailler à son propre rythme en canalisant ses énergies sur certaines données particulières du texte.

Quel que soit le projet de lecture proposé aux étudiants, si l'on veut faciliter leur apprentissage, il est essentiel de segmenter la tâche de lecture en quelques étapes, qui pourraient former la séquence suivante: prélecture, lecture et après la lecture. Cette démarche en trois temps est maintenant proposée dans la plupart des manuels d'enseignement des langues secondes tels que *Connecting* (Tremblay et al. 1984), *Lire avec plaisir* (Barnett 1988), *Chouette* (Courtel et McKinley 1990), *Élans* (Duplantie et al. 1990), *Guide pédagogique secondaire, français langue seconde* (Cornaire et al. 1990), etc.

Nous allons décrire et commenter brièvement chacune de ces étapes en proposant quelques activités pouvant se rattacher à chacune d'elles; notons qu'il s'agit quelquefois de descriptions assez générales et qu'elles devront être adaptées en fonction du projet de lecture qui aura été préalablement défini.

La prélecture

La prélecture, ou préparation à la lecture, est une étape indispensable pour faciliter l'entrée dans le texte et la formulation d'hypothèses. Cette étape est consacrée à préparer l'étudiant au texte qu'il va lire, en s'assurant qu'il possède des connaissances à la fois sur le sujet, sur la réalité socio-culturelle du texte et, le cas échéant, lui en fournir; on pourra également lui demander d'aller se renseigner sur certains points particuliers en faisant une recherche ou en menant une petite enquête auprès de personnes susceptibles de l'aider.

Le vocabulaire est un outil indispensable à la compréhension et avant d'aborder la lecture d'un texte, que ce soit un chapitre de roman ou un texte informatif, il faudrait en présenter les mots clés et les unités lexicales qui risquent de poser des problèmes. Il y a plusieurs façons de présenter ce vocabulaire, entre autres: en utilisant des définitions, par l'intermédiaire du contexte, en donnant des traductions, en s'aidant d'un mot ou d'une expression dont le sens est proche de celui que l'on doit trouver, etc. On trouvera dans *Reading on purpose* (Dubin et Olshtain 1987) des suggestions méthodologiques intéressantes pour présenter le vocabulaire nouveau.

Ces étapes étant franchies, les étudiants ont alors le texte en mains et on peut leur demander de le regarder de loin et d'en saisir, si le texte s'y prête, certains éléments contextuels ou autres (illustrations, titres, sous-titres, mots clés, etc.) qui peuvent l'aider à formuler une première hypothèse sur son sens global, en quelque sorte, essayer de voir la forêt avant de s'attacher à percevoir une essence particulière, si l'on peut se permettre cette comparaison.

Bernet et Fougères (1986) ont mis au point une grille dont la fonction serait d'orienter la lecture des étudiants durant cette phase de prélecture. Dans cette grille, on retrouve certains critères spécifiques tels que la nature du message (il s'agit d'une lettre, d'un article de journal, d'un extrait de roman, etc.); la nature du code (la langue est soutenue, correcte, familière, argotique, technique, etc.); la nature des référents (quels sont les référents? sont-ils représentés par des pronoms, des périphrases? etc.; sont-ils critiqués, appréciés?); la nature du récepteur (à qui est destiné le message? le recepteur est-il présent dans le message?; etc.); la nature de l'émetteur (est-ce une personne? est-ce un groupe? l'émetteur est-il contemporain? parle-t-il de lui, donne-t-il son avis?, etc.).

Les auteurs soulignent qu'il est important d'habituer les apprenants à utiliser cette grille d'analyse des textes qui a le mérite de provoquer la réflexion chez les apprenants et de les amener à prendre conscience des divers facteurs inhérents à la communication.

La lecture

Cette entrée dans le texte pourra être suivie d'une première lecture silencieuse au cours de laquelle on demandera par exemple de recueillir les idées principales, ou certaines données d'ordre général. Dans le cas d'un récit, il pourrait s'agir d'identifier les principaux personnages, les lieux où se déroule l'action, de faire une liste des événements importants. Les questions de type « vrai ou faux », les questions orales ou écrites, les grilles diverses peuvent être utilisées afin de vérifier rapidement la compréhension de ces informations. Avec les étudiants plus faibles, le professeur servira alors de personne-ressource pour les aider à mieux comprendre le texte. Cette première lecture, assez rapide, est une étape importante car elle fournit les assises sur lesquelles l'étudiant va pouvoir s'appuyer pour arriver ensuite à faire une bonne synthèse des idées véhiculées par le texte.

Il convient ensuite de faire relire le texte silencieusement et attentivement afin que l'étudiant puisse en recueillir toutes les informations pertinentes, les classer et les mettre en relation. Ces tâches s'adressent naturellement à des étudiants de niveau plus avancé; pour des étudiants plus faibles, on se contentera peut-être de leur faire retrouver les idées principales. En la matière, c'est naturellement au professeur de juger ce qu'il peut demander à ses étudiants. L'évaluation de la compréhension peut se faire au moyen d'activités et de techniques variées, entre autres des discussions, des questions orales ou écrites, des questions à choix multiples, l'élaboration de grilles, de graphiques, de fiches, de tableaux où sont reportés divers renseignements mentionnés dans le texte, etc. Il faudrait que les étudiants profitent de ces activités pour reprendre et employer le vocabulaire nouveau qui leur a été présenté dans l'étape de prélecture.

Après s'être assuré que les étudiants ont raisonnablement bien compris les idées exprimées par l'auteur, on peut alors leur demander d'aller au-delà du texte, de porter un jugement critique sur celui-ci, à partir d'idées explicitées ou d'inférences. Les étudiants devront alors procéder à une nouvelle lecture du texte, une lecture très fine, afin d'arriver à atteindre l'objectif proposé.

Après la lecture

Les informations étant extraites du texte, les étudiants vont alors s'en servir pour réaliser un projet ou atteindre les objectifs préalablement fixés. Bertin (1988:533) propose les exemples suivants: cuisiner un plat après avoir lu une recette de cuisine; exécuter un dessin à partir d'une description; découvrir le trajet le plus efficace d'un endroit à un autre à l'aide d'horaires de chemin de fer ou de cartes routières; composer un arbre généalogique en se servant de la description des liens entre les membres d'une famille, etc.

Dans le matériel pédagogique récent on retrouve de plus en plus des approches d'enseignement de la lecture qui mettent en application quelques-unes de ces suggestions méthodologiques. Tremblay (1989), par exemple, propose une démarche communicative / expérientielle de la lecture en subdivisant les trois grandes étapes en un certain nombre de séquences qui permettent de favoriser les échanges entre l'enseignant et les apprenants et qui amènent ces derniers à participer pleinement aux activités de lecture.

D'habitude, l'étudiant de langue seconde ne possède pas de bonnes stratégies de lecture; il est donc important, avant même de commencer à travailler sur les textes qui font partie d'un programme de lecture, de lui montrer l'avantage que représentent la connaissance et l'utilisation de stratégies de lecture. Voici quelques idées sur la façon dont on pourrait s'y prendre pour amener l'étudiant à adopter de nouvelles habitudes face au texte.

B) Apprendre à comprendre au moyen de stratégies de lecture

Il faut d'abord aider à l'étudiant à comprendre au moyen de stratégies de lecture. Le professeur de langue essaie souvent d'obtenir de bonnes réponses, plutôt que de s'attacher au processus qui permet à l'étudiant de trouver et de formuler ces réponses. Il serait donc bon de moins viser la réaction rapide et juste, et d'essayer de rendre l'apprentissage plus efficace en aidant les étudiants à comprendre, comme le souligne Phillips (1984:228).

Présentation du concept de « stratégie »

La première étape, au tout début du cours de lecture, consiste naturellement à sensibiliser les étudiants au concept de stratégie. Pour ce faire, Hosenfeld et al. (1981) proposent, entre autres, de leur donner à trouver la somme de ces dix termes: $1 + 2 + 3 + 4 + 5 + 6 + 7 + 8 + 9 + 10$. Pour trouver la solution, il est possible d'additionner chacun des termes, mais il existe également un moyen plus rapide. On peut remarquer en effet que ces termes n'ont pas été choisis au hasard et qu'il existe une certaine relation entre eux:

$$1 + 2 + 3 + 4 + 5 + 6 + 7 + 8 + 9 + 10$$
$$5 + 6 = 11$$
$$4 + 7 = 11$$
$$3 + 8 = 11$$
$$9 + 2 = 11$$
$$10 + 1 = 11$$

Il suffit donc pour trouver la solution de multiplier onze par cinq (11 x 5), ce qui est beaucoup plus simple et rapide que l'addition de tous les termes du problème dans sa présentation originale. Cette façon plus efficace de résoudre le problème fait appel à la stratégie « de la relation » qui existe entre les différents termes proposés. De la même façon, en lecture, il existe des raccourcis qui permettent d'atteindre le but plus facilement.

Définition du profil de lecteur de l'étudiant

Une fois expliqué le concept de stratégie, il conviendrait, si les conditions le permettent, de déterminer si les étudiants connaissent et éventuellement utilisent quelques stratégies de lecture. Cela peut se faire en utilisant un questionnaire, ou la technique de la réflexion à haute voix, ou encore les deux à la fois, comme le préconisent Hosenfeld et al. (1981). En appendice nous proposons un exemple de questionnaire qui s'adresse plus particulièrement à des anglophones qui étudient le français. Ce questionnaire pourra être adapté aux besoins du professeur; toutefois, il est toujours préférable qu'il soit rédigé dans la langue maternelle de l'étudiant, le métalangage de la langue seconde étant difficile d'accès pour l'apprenant.

En se référant au questionnaire sur les stratégies de lecture que nous présentons en annexe, on constatera que l'objectif de la première question (Q.1) est de déterminer si l'étudiant pratique une lecture fragmentaire ou une lecture globale lorsqu'il essaie de saisir le sens. S'il pratique une lecture globale, il devrait choisir l'énoncé c). (Q.2) La réponse donnée par l'étudiant à la deuxième question montrera s'il sait utiliser les éléments contextuels (titres, images) pour faciliter la compréhension. Si tel est le cas, il devrait alors choisir l'énoncé a). (Q.3) La troisième question se rapporte à la tolérance de l'imprécision et à l'esquive de la difficulté. Si le lecteur possède cette stratégie, il devrait alors choisir la réponse b). (Q.4) La quatrième question sert à repérer les bons lecteurs, ceux qui formulent des hypothèses sur le contenu du texte à partir de nombreux indices, et ce faisant prennent des risques et acceptent de commettre des erreurs. Si l'étudiant fait partie de ces bons lecteurs que nous venons de décrire, il choisira certainement la réponse a). (Q.5) L'objectif de la question cinq est de savoir si l'étudiant utilise la stratégie du contexte, ou celle des connaissances lexicales (congénères, dérivés, etc.), ou les deux; selon le cas, il peut donc choisir l'énoncé a) ou b) ou encore les deux. (Q.6) La question six a trait à la mise en oeuvre des connaissances référentielles, c'est-à-dire ce que l'on connaît déjà d'un domaine particulier; ce savoir préalable est important en lecture, comme nous l'avons déjà souligné, et si l'étudiant à l'habitude d'y avoir recours, il devrait choisir l'énoncé b). (Q.7) Au même titre que les connaissances référentielles, les connaissances de la structure du texte ont aussi un rôle à jouer pour faciliter la lecture; un étudiant qui fait appel à la structure du texte pour comprendre choisira alors l'énoncé a) de la septième question.

En complément à ce questionnaire, il serait bon de vérifier, par des moyens concrets, si les étudiants utilisent vraiment en situation de lecture les stratégies qu'ils ont indiquées dans leurs réponses, car le fait de les mentionner ne veut pas dire qu'ils savent vraiment s'en servir. La technique de la réflexion à haute voix pourrait servir à cette vérification et dans cette optique, le professeur pourrait proposer à des étudiants anglophones un court texte adapté à leur niveau et demander à chacun d'eux de le lire silencieusement devant lui, tout en expliquant comment il fait pour en découvrir le sens. Plus précisément, le professeur pourrait dire par exemple: « Vous allez lire silencieusement ce petit texte dans lequel il y a peut-être des mots que vous ne connaissez pas; quand vous rencontrez un mot que vous ne connaissez pas, ou encore une phrase difficile, pourriez-vous expliquer en anglais comment vous faites pour découvrir leur sens. Maintenant lisez le texte silencieusement en essayant de procéder de la même façon que vous le faites d'habitude ».

En fonction des résultats obtenus au questionnaire et des commentaires exprimés grâce à la technique de la réflexion à haute voix, le professeur pourra planifier un certain nombre d'activités qui permettront de faire acquérir à l'étudiant des stratégies de lecture efficace qui éventuellement deviendront des habiletés. À titre d'illustration, voici quelques exemples d'activités inspirées de matériels didactiques ou qui en sont directement tirés. Il faut préciser que nous ne cherchons pas à dresser l'inventaire des divers types d'exercices mais plutôt à fournir un cadre général de travail. Les activités qui sont proposées seront directement reliées à l'enseignement des stratégies suivantes:

1) tolérer l'imprécision et contourner une difficulté;

2) reconnaître rapidement un mot, une phrase, percevoir un groupe de mots;

3) formuler des hypothèses;

4) utiliser ses connaissances référentielles;

5) utiliser ses connaissances textuelles;

6) faire des inférences.

Il est important d'enseigner la première stratégie (tolérer l'imprécision et contourner une difficulté) au tout début du cours, c'est-à-dire avant même d'aborder les textes de lecture qui feront partie d'un programme particulier. On pourra revenir par la suite à cette stratégie, au cours des rencontres subséquentes, durant les dix premières minutes de classe, et cela aussi souvent qu'il sera nécessaire. Utiliser ses connaissances textuelles est une stratégie

qui devra être enseignée en plusieurs étapes et assez systématiquement, comme nous le soulignons dans les pages qui suivent. Quant
aux autres stratégies elles peuvent être présentées au cours de l'une
ou l'autre des étapes de lecture.

Tolérer l'imprécision et contourner la difficulté

Comme nous l'avons déjà mentionné, les étudiants butent souvent
sur le premier mot qu'ils ne connaissent pas et sont paralysés devant
cet obstacle, alors qu'en langue maternelle ils acceptent plus facilement l'imprécision. Pour leur faire comprendre qu'il ne faut pas
se décourager devant un mot inconnu, on peut d'abord présenter
aux étudiants un texte en anglais (s'il s'agit d'anglophones) avec
des mots en « giglique », un langage fictif composé en grande partie
de mots inventés. Ils se rendent alors compte qu'en langue maternelle ils ne se découragent pas et qu'ils continuent à lire jusqu'à
ce que le contexte leur permette de trouver le sens du mot. Pourquoi alors ne pas faire la même chose en langue seconde?

Un premier exemple en anglais (à l'usage d'étudiants anglophones)
pourrait être un extrait de *Clockwork Orange* (Burgess 1978; cité
par Hosenfeld et al. 1981), qui comporte deux mots en giglique:

Exercice (stratégie: tolérer l'imprécision et contourner une
difficulté).

> « There was me, that is Alex, and my three *droogs*[1], that is, Pete,
> Georgie and Dim ... and we sat in the Korova Milkbar making up
> our *rassodocks*[2] what to do with the evening (...) ».

On demande aux étudiants de lire le texte silencieusement et
d'essayer de découvrir la signification des mots qui sont soulignés,
ce qu'ils devraient réussir assez facilement.

Une deuxième étape consisterait à proposer quelques textes en
français, assez faciles au début, pour que l'étudiant apprenne à tolérer une certaine ambiguïté et en particulier à accepter de ne pas
comprendre certains éléments lexicaux, ce qui se produira certainement lorsque le professeur utilisera du matériel authentique.

---

1 droogs = friends
2 rassodocks = minds

Le texte qui suit, et que nous avons composé pour les besoins de la cause, pourra être soumis à des étudiants faux débutants ou intermédiaires faibles, adolescents ou adultes. Il s'agira d'un travail individuel ou en dyades. La méthodologie utilisée peut être la même que pour le court passage en langue maternelle (dans ce cas particulier en anglais) que nous venons de présenter; on précisera cependant qu'il s'agit de trouver la définition d'un seul mot, en l'occurrence le mot « ouch ». Une fois que la signification du mot a été trouvée, on demandera quelles stratégies ont été utilisées pour la découvrir. On pourra par la suite proposer d'autres textes dans la langue seconde avec plusieurs mots en giglique.

Exercice (stratégie: tolérer l'imprécision et contourner une difficulté).

L'ouch[1]

Lisez le texte suivant et essayer de trouver la signification du mot « ouch ».

C'est un véritable **ouch** dit-on souvent. Mais est-ce que l'**ouch** existe vraiment? Qu'est-ce que l'**ouch**? Demandez à vos amis ce qu'ils pensent de ce sujet brûlant...

Il faut noter que les auteurs célèbres se sont plus intéressés à l'**ouch** qu'au paradis! Sartre affirme que l'**ouch** « c'est les autres », l'**ouch** « c'est la solitude » écrit Victor Hugo, l'**ouch** « c'est l'absence » dit Verlaine.

Mais à côté de ces **ouchs** des auteurs célèbres, il y a les **ouchs** des gens ordinaires, les **ouchs** de tous les jours. Pour l'automobiliste montréalais, l'**ouch** c'est peut-être de ne pas trouver de stationnement. Pour le politicien, c'est peut-être les journaux. Et pour vous l'**ouch**, ça existe quelquefois?

Ouch signifie:

Comment avez-vous fait pour découvrir le sens du mot « ouch »?

---

1 **L'ouch** = enfer

Quelles stratégies avez-vous utilisées? (indices textuels, connaissances antérieures, etc.).

Les textes lacunaires sont aussi utiles pour apprendre à l'étudiant à ne pas s'arrêter devant une difficulté, mais plutôt à continuer la lecture s'il rencontre un mot ou une forme grammaticale inconnue, un contexte plus vaste permettant le plus souvent de trouver la solution.

Pour sensibiliser l'étudiant à cette stratégie on peut d'abord présenter de courts passages comme celui qui suit. On lui demande, à partir d'une liste de mots, de trouver celui ou ceux qui manquent dans le texte. Avant de commencer l'exercice, on doit cependant insister sur le fait que le texte doit être lu jusqu'à la fin avant même d'essayer de commencer à remplir la ou les lacune(s). C'est seulement au cours d'une deuxième lecture que l'étudiant s'attachera à trouver les mots qui manquent. Notons que les textes lacunaires « fermés » accompagnés de listes de mots sont moins difficiles pour les apprenants de langue seconde; il faudrait donc les choisir, de préférence aux textes lacunaires de type « ouvert » (sans liste de mots), du moins lorsque l'on commence à faire pratiquer ce type d'exercice.

Exercice (stratégie: tolérer l'imprécision et contourner une difficulté).

Lisez silencieusement et en entier le passage qui suit et remplissez ensuite l'espace en utilisant un des mots suivants:

a) travailler   b) revenir   c) rencontrer   d) déménager

Extrait d'une lettre à un ami:

Tu sais, Marie, elle vient de _____ à Vancouver. Elle va me manquer, on avait l'habitude de travailler nos maths ensemble chaque mercredi, et en plus, le samedi on se retrouvait à la disco … Quand j'ai vu le camion des déménageurs partir, avec tous les meubles, son stéréo, j'étais bien triste.

(La bonne réponse est d).

Dans *Lire avec plaisir* (Barnett 1988), une méthode destinée à des étudiants de niveau avancé, jeunes adultes ou adultes, on retrouve également plusieurs activités qui permettent de sensibiliser l'étudiant à cette stratégie particulière (voir chapitre préliminaire, p.10 à 16).

Reconnaître rapidement un mot, une phrase et percevoir un groupe de mots.

Nous savons que le lecteur en langue seconde lit d'habitude lentement et que cette difficulté pourrait s'expliquer en partie par une compétence linguistique limitée. Toutefois, des expériences nous ont aussi montré qu'il arrive aussi à des étudiants bilingues de lire plus lentement, et dans ce cas ce n'est pas la compétence linguistique qui est en cause, mais le rythme personnel de lecture. Ces derniers résultats permettent de supposer que des exercices de reconnaissance rapide de mots ou de phrases, pratiqués quelques minutes au début de chaque cours, pourraient se révéler utiles pour préparer l'étudiant à réagir rapidement et l'aider ainsi à se sensibiliser aux images visuelles que représentent les mots ou les phrases du français. N'oublions pas que le bon lecteur est celui qui sait reconnaître rapidement, voire automatiquement, un mot à partir de ses contraintes orthographiques et syntaxiques.

Voici quelques exemples d'exercices, des genres de gammes qui s'inspirent d'activités proposées par Dubin et al. (1986). Le premier exercice présenté est accompagné de directives que l'on peut aussi donner oralement. On comprendra, à la facilité des mots clés, qu'il s'adresse à des étudiants de niveau débutant. Notons que la signification des mots clés doit être connue des étudiants et que les leurres devraient se rapprocher orthographiquement du mot clé pour rendre la tâche un peu plus difficile.

Exercice (stratégie: repérer rapidement un mot).

Voici 5 mots clés: *livre, carte, crayon, enfant, rouge*. Vous allez retrouver ces mots à la page suivante, dans cinq listes. Regardez bien les mots. Prenez 30 secondes. (...). Maintenant, vous allez essayer de repérer ces mots dans les listes de la page suivante, en lisant de gauche à droite aussi vite que possible et sans revenir en arrière. Vous encerclerez ces mots aussi souvent qu'ils apparaissent. Prêt? Maintenant, tournez la page. Chronomètre ... (20 secondes).

Mots clés

livre   lève, lier, libre, livre, liste, livre, lit, lis
carte   garde, cari, carpe, carton, carte, case, carte, cas
crayon cravate, craquer, crabe, craie, crayon, crac, création
enfant enfin, encore, enfermer, enfance, enfant, enfer, enfantin
rouge   roule, rouge, roue, ronde, rue, rouge

L'exercice qui suit est semblable à celui que nous venons de présenter, mais dans ce cas particulier il s'agit de retrouver des phrases clés. C'est un exercice qui pourrait aussi s'adresser à des apprenants de niveau débutant.

Exercice (stratégie: repérer rapidement une phrase).

Voici 3 phrases clés: *Il est midi. / C'est fermé. / C'est loin d'ici.*
Vous allez retrouver ces phrases à la page suivante dans trois listes. Regardez bien les phrases. Prenez 20 secondes. (...). Maintenant, tournez la page et lisez le plus rapidement possible, de gauche à droite, sans revenir en arrière. Encerclez les phrases clés aussi souvent qu'elles apparaissent. Chronomètre ... 20 secondes.

Phrases clés

Il est midi   il est ici, elle est ici, il est midi, il a menti, il est
                    moyen, c'est à midi, il est midi

C'est fermé   c'est fermé, c'est fait, tu l'as fermé, c'est fixé,
                    il est fermé, il est fiancé

C'est loin d'ici c'est ici, c'est à lui, c'est bien aussi, c'est par ici,
                    c'est loin d'ici, par ici, c'est ainsi, c'est loin, c'est
                    loin d'ici

Dans l'exercice qui suit et qui est un peu différent, on demande aux étudiants de faire une fixation sur un point (.) en essayant de percevoir un groupe de mots et non pas un mot à la fois comme le lecteur peu habile a tendance à le faire. Le point aide l'étudiant à percevoir l'ensemble d'un groupe de mots en lui permettant de centrer son regard dessus. Voici un exemple à partir d'un petit texte accompagné d'instructions. L'étudiant peut d'abord travailler à son

propre rythme avec quelques textes et par la suite on proposera
d'autres exercices qui seront chronométrés.

Exercice (stratégie: percevoir un groupe de mots).

Essayez de lire le petit texte qui suit de haut en bas, colonne par
colonne, par sections aussi larges que possible; centrez votre regard
sur le point, ce qui va vous aider à percevoir l'ensemble du groupe
de mots. Faites-le une première fois tranquillement sans vous chro-
nométrer. Ne confondez pas point de fixation et point d'arrêt, il
faut aller de l'avant et poser l'oeil sur le point noir au milieu du
premier groupe de mots, puis avancer au deuxième, au troisième,
etc., en conservant un bon rythme de lecture.

Les sports	à la mode	Le jogging
.	.	
ont aussi	Le lendemain	est un sport
.	.	.
leurs modes	c'est la bicyclette	qui développe
.	.	.
Un jour	Aujourd'hui	le système
.		
c'est le tennis	c'est le jogging	cardio-vasculaire
		.
qui est	qui remplace	aussi bien
.	.	.
	les autres sports	que les muscles
	.	.

Formuler des hypothèses

On se souviendra que le bon lecteur est particulièrement habile à
formuler des hypothèses sur le texte qu'il va lire ou qu'il est en
train de lire. Il tire partie, à cette fin, d'éléments contextuels (titres,
sous-titres, images, etc.) ou encore de certains indices textuels, mots
clés, phrases clés, etc.

Dans *Élans* (Duplantie et al. 1990), une méthode de français langue seconde destinée à des adolescents, l'apprenant est souvent amené à utiliser des indices contextuels pour faire des hypothèses sur les contenus des textes qu'il va lire. Ainsi, des illustrations peuvent servir de déclencheur pour la lecture de certains textes et c'est le cas en particulier pour le texte intitulé « La télé et toi » (livre de l'élève, p.12). Dans une activité de prélecture, on invite d'abord les élèves à observer les illustrations et voir s'ils peuvent s'identifier aux personnages de certaines illustrations. Ils doivent ensuite lire silencieusement les commentaires et porter un jugement sur ceux-ci. Cela étant fait, ils répondent à un questionnaire à choix multiples qui va leur permettre de découvrir leurs habitudes face à la télévision. On procède ensuite à une mise en commun où les élèves sont invités, tour à tour, à faire une évaluation du questionnaire, à établir leur profil de téléspectateur, à compiler les résultats de la classe au questionnaire, etc. (voir Cahier d'activités, p.17 à 19). Ces exercices sont autant de pistes de réflexion qui permettent à l'élève d'anticiper le contenu du texte qui sera proposé par la suite.

Utiliser ses connaissances référentielles

Le bon lecteur est celui qui sait utiliser les connaissances qu'il possède dans un domaine particulier. Pour faire comprendre le rôle essentiel que jouent les connaissances antérieures, Hansen (cité par Tierney et Cunningham 1984:631) suggère l'activité suivante:

Exercice

Lisez le titre ainsi que le premier paragraphe du document X et répondez ensuite aux questions qui suivent:

1. Selon vous, qu'est-ce que le personnage principal va faire?

2. Dans des circonstances similaires, quel serait votre plan d'action?

Pour cette activité, on donne aux étudiants le titre ainsi que le premier paragraphe de la lecture et les étudiants travaillent en équipes. Hansen propose que chaque équipe inscrive ses réponses sur deux bandes de papier, soit une bande pour chaque question. Ces deux bandes devraient ensuite être assemblées pour mieux faire prendre conscience aux étudiants qu'au cours de la lecture, il se produit une interaction entre les connaissances du lecteur et les informations contenues dans le texte.

L'activité 1A qui est proposée dans *Élans* (6e étape; Cahier d'activités, p.13) illustre bien comment on peut stimuler les connaissances de l'élève concernant le domaine de référence du texte qu'il va lire plus tard (des annonces de jeunes qui cherchent des correspondants) et le préparer au projet de lecture qui s'y rattache, en l'occurrence le choix d'un correspondant. De façon plus spécifique, l'activité 1A se présente sous la forme d'un questionnaire où l'élève doit cocher les attributs qui correspondent le mieux à la personne qu'il recherche (par exemple, mon correspondant 1) habite la ville, la campagne; 2) fait du sport; 3) aime la musique; 4) parle français; etc.). À partir de son expérience, l'élève est ainsi amené non seulement à réfléchir à ses propres besoins et aux qualités qu'il voudrait trouver chez un correspondant, mais également à devenir plus conscient du fait que la lecture sous-entend la mise en rapport de ce que l'on sait d'un sujet avec les renseignements contenus dans le texte.

Dans *Chouette* (Courtel et McKinley 1990), une méthode d'enseignement du français langue seconde destinée aux élèves de 9 à 12 ans, l'accent est également mis sur le vécu des apprenants ainsi que sur leurs connaissances générales. L'activité 13, par exemple, consiste à aider l'élève à prendre conscience de ce qu'il connaît d'un sujet, des expériences qu'il en a, avant de lui demander de se servir de cet acquis pour lire de courts textes informatifs portant sur les animaux qui vivent dans l'obscurité. Voici, à titre d'exemple, quelques questions que l'enseignant va poser à l'élève pour l'amener à mettre en oeuvre ces connaissances particulières:

Connaissez-vous des animaux qui vivent la nuit? Oui, le chat, la souris. En connaissez-vous d'autres? Savez-vous pourquoi ces animaux peuvent voir dans le noir? etc. (Guide pédagogique, p.92).

Utiliser ses connaissances textuelles

Les textes narratifs

Rappelons que les textes narratifs où l'on présente des personnages qui agissent dans des situations concrètes renferment des structures textuelles assez régulières et suscitent d'habitude moins de difficultés de compréhension, du fait que ces structures sont en général connues du lecteur. Afin de faire comprendre aux étudiants que la structure textuelle est un outil important pour mieux comprendre un texte, on pourrait leur demander de préparer une simulation, un psychodrame ou un scénario à partir de certaines données d'un roman, d'un conte, d'une nouvelle; cet exercice les oblige à classer plusieurs informations en suivant la logique du texte, c'est-à-dire son organisation. Dans cette optique, Di Pietro (1987) propose de faire lire en classe des oeuvres littéraires, après en avoir abordé le sujet sous forme de scénarios élaborés par de petits groupes d'apprenants. Il suggère de donner à chaque participant une mise en situation qui décrit le problème posé et les principaux traits de caractère des personnages dont on va jouer le rôle (un diagramme peut se révéler utile dans ce cas particulier). Une fois le scénario élaboré, répété et interprété, on peut ensuite passer à la lecture de l'oeuvre.

Cette activité de prélecture a l'avantage de faire retrouver aux étudiants les grandes articulations de ce type de texte (exposition, intrigue, résolution) et elle peut fournir une bonne base à partir de laquelle ils pourront faire une synthèse des idées véhiculées par le texte.

Dans le *Guide pédagogique, secondaire, français langue seconde* (Cornaire et al. 1990), on présente différentes activités qui ont pour but de faire retrouver les grandes articulations d'un roman pour la jeunesse intitulé « Les prisonniers du zoo ». Tel est le cas de l'activité 3, en prélecture, où l'on demande aux élèves de classer les illustrations du roman et, à partir de ce classement, d'essayer de déterminer quels personnages vont participer à l'intrigue ainsi que les animaux qui seront importants dans cette histoire. De la même façon, dans l'activité 6, on demande à l'élève de retrouver l'ordre chronologique d'une suite d'événements, ce qui lui permet de mieux prendre conscience du déroulement de l'histoire.

Les textes informatifs

Comme nous l'avons déjà noté, la structure textuelle de certains textes informatifs semblerait plus difficile à discerner, peut-être à cause de concepts nouveaux, d'un manque de motivation ou de sensibilité à l'organisation des idées (Giasson 1990). On sait que cinq types de structures ont été proposées pour les textes informatifs

(Meyer 1975) et que chaque type est signalé par un certain nombre de mots clés. Ces mots clés, le plus souvent des articulateurs (conjonctions, prépositions, locutions), jouent un rôle important dans le texte et en assurent la cohérence. Comme l'étudiant reconnaît mal ces articulateurs, il serait donc important de les enseigner afin qu'ils lui permettent d'identifier plus facilement le plan suivi par l'auteur et par la suite de l'utiliser pour mieux comprendre le texte.

L'enseignement des articulateurs pourrait se faire progressivement et être réparti sur un certain laps de temps. Avant de commencer à présenter des textes construits selon un plan particulier, le professeur rappellera aux étudiants qu'il y a cinq types de plan qui sont souvent utilisés pour organiser l'information contenue dans les textes comme les annonces, les articles de journaux et de revues, etc. Ces cinq types sont la description, la comparaison, la causalité, la séquence et le problème / solution. Il expliquera aussi que des mots clés permettent d'identifier un plan particulier. On pourra par exemple retrouver, dans une description, des mots comme « et », « aussi », « en outre », etc. Cette introduction rapide étant faite, on proposera un certain nombre de petits textes où les étudiants devront associer certains mots clés à un type de plan. En voici quelques exemples, accompagnés de directives; notons que ces petits textes sont conçus pour des apprenants de niveau intermédiaire.

Exercice (stratégie: utiliser ses connaissances textuelles).

Nous allons lire ensemble cinq petits textes. Pour chacun d'eux, nous devrons essayer de retrouver la structure, c'est-à-dire le plan utilisé par l'auteur. Il y a des indices qui nous aideront à déterminer ce plan. Ces indices sont des mots clés que vous retrouvez dans les textes. (Le professeur aide les étudiants à trouver les bonnes réponses).

Texte 1

Nicole se trouvait laide, elle était très grande et elle était maigre; de plus, ses cheveux étaient trop frisés et elle avait aussi de vilaines dents.

Quel est le plan utilisé? (description, comparaison, causalité, séquence ou problème / solution?).

Quels sont les mots clés qui vous ont aidé à trouver le plan?

(Le plan utilisé est la description et les mots clés qui l'indiquent sont: *et, de plus, et, aussi*).

Texte 2

Hier, il a fait beau, par contre aujourd'hui il a plu toute la journée.

Quel est le plan utilisé?

Quels sont les mots clés qui vous ont aidé à trouver le plan?

(Le plan est la comparaison; le mot clé est *par contre*).

Texte 3

À cause de mon retard j'ai manqué une partie du test de géographie.

Quel est le plan utilisé?

Quel sont les mots clés qui vous ont aidé à trouver le plan?

(Le plan utilisé est la causalité: la cause, c'est le retard et l'effet, c'est d'avoir manqué une partie du test; le mot clé est *à cause*).

Texte 4

La première chose à faire pour préparer un bon gâteau c'est d'abord de trouver une recette. La recette étant trouvée, il faut ensuite la lire avec attention (...).

Quel est le plan utilisé?

Quels sont les mots clés qui vous ont aidé à trouver le plan?

(Le plan utilisé est la séquence; les mots clés sont *d'abord* et *ensuite*).

Texte 5

Le matin j'ai beaucoup de difficulté à me réveiller. Une solution, ce serait peut-être d'essayer de me coucher plus tôt.

Quel est le plan utilisé?

Quel est le mot clé qui vous a aidé à trouver le plan?

(Le plan utilisé est le problème / solution; les mots clés sont *une solution*).

À la suite de cette activité le professeur peut indiquer qu'il existe d'autres mots clés que l'on peut associer à ces types de plan et il propose alors le tableau suivant qui regroupe des mots clés et des articulateurs que l'on retrouve assez fréquemment. Le tableau pourra être rempli au fur et à mesure que l'on rencontre de nouveaux mots clés. Notons qu'il est bon d'en donner la traduction, le cas échéant.

Description	aussi, de plus, en outre, et, etc.
Comparaison	bien que, cependant, mais, par contre, pourtant, quoique, etc.
Causalité	à cause de, ainsi, alors, aussi, car, comme, donc, le résultat, il en résulte, parce que, par conséquent, puisque, etc.
Séquence	après, d'abord, enfin, ensuite, et, premièrement, etc.
Problème / solution	alors, la solution, le problème, pour empêcher, pour prévenir, etc.

Par la suite, d'autres exercices peuvent être proposés. Dans l'activité qui suit et qui est un peu plus difficile, on demande à l'étudiant de compléter un énoncé à partir de choix multiples. Pour ce faire, il doit pouvoir reconnaître certains articulateurs.

Exercice (stratégie: utiliser ses connaissances textuelles).

Faites maintenant les exercices qui suivent en complétant les phrases à l'aide de a), b) ou c). Attention au mot clé qui est souligné et qui va vous aider à trouver la bonne réponse.

Phrase 1

Michel était si heureux hier, <u>par contre</u> aujourd'hui

    a)   il est triste.

    b)   c'est la même chose.

    c)   il est encore plus heureux.

(La bonne réponse est a).

Phrase 2

Les nouvelles à la télévision n'étaient pas intéressantes hier, <u>de plus</u>
   a) il y avait un bon film.
   b) le son était très mauvais.
   c) mes amis sont venus me voir.
   (La bonne réponse est b).

Phrase 3

J'ai décidé de travailler l'été prochain, <u>par conséquent</u>
   a) je n'irai pas en vacance avec mes parents.
   b) je n'ai plus d'argent.
   c) il est difficile de trouver un emploi.
   (La bonne réponse est a).

Phrase 4

J'aime beaucoup lire, <u>alors</u>
   a) je trouve que les livres coûtent cher.
   b) j'emprunte souvent des livres à la bibliothèque.
   c) j'achète peu de livres, ils coûtent cher.
   (La bonne réponse est b).

Phrase 5

Pour avoir de bonnes notes, une des <u>solutions</u>,
   a) est difficile à trouver.
   b) c'est d'étudier.
   c) à ce problème particulier.
   (La bonne réponse est b).

On pourrait ensuite donner des exemples de textes brefs – des annonces publicitaires par exemple – ou d'autres extraits illustrant les diverses structures textuelles. Afin de préparer les étudiants à la reconnaissance de la structure textuelle, Cornaire et Raymond (à paraître) ont préparé un choix de textes qui illustrent chacun une structure textuelle particulière. En voici un exemple:

Texte pour illustrer la causalité

Les pauvres plantes (de pieds)

La plante des pieds est un amortisseur naturel. Au cours d'une vie, on marche probablement l'équivalent de quatre fois la circonférence de la terre. Pendant ce temps, nous soumettons nos pieds à des pressions de trois à quatre fois supérieures au poids de notre corps. Il en résulte non seulement des maux de pieds mais souvent des malaises aux genoux, aux hanches, au dos et au cou (...).

Le commentaire oral qui accompagne le texte est le suivant: Voici une manière d'agencer les idées d'un texte en fonction de la cause et de l'effet, la causalité étant illustrée par la relation suivante: si je fais ceci, voilà ce qui va se passer. Dans ce cas particulier, je marche et je soumets mes pieds à des pressions. Il en résulte des maux de pieds, des malaises. Les mots clés qui aident à reconnaître la façon dont les idées sont exprimées sont: « il en résulte ».

Après avoir présenté des annonces publicitaires, on pourra ensuite se servir de textes plus longs et plus difficiles où le plan suivi par l'auteur est moins évident. Notons que des graphiques, construits par l'apprenant ou l'enseignant, peuvent également être utilisés pour attirer l'attention sur la structure des textes informatifs (concernant cette question, on pourra consulter Giasson 1990).

Faire des inférences

Rappelons qu'une inférence est une idée qui n'est pas ouvertement exprimée dans un texte mais qui est plutôt suggérée par l'auteur. Apprendre à l'étudiant à faire des inférences, c'est le préparer à aller au-delà du texte, et c'est également le préparer à un nouveau type de lecture: la lecture critique. Pour en arriver là, le lecteur doit bien comprendre quel est le point de vue de l'auteur, s'il a exprimé ouvertement ses idées, ou si son message est plutôt implicite. Dans ce dernier cas, on doit alors faire certaines inférences, avant de pouvoir tirer des conclusions sur le texte.

Au moyen de l'exemple suivant, on peut aider l'étudiant à mieux comprendre ce qu'est une inférence:

Exercice (stratégie: faire comprendre ce qu'est une inférence).

Voici une façon directe de s'exprimer:
– «Je suis fatigué».

Voici une autre façon de le dire:
– «Je ne dors pas depuis plusieurs nuits».

Si cette personne n'a pas dormi depuis longtemps, on peut en déduire qu'elle est fatiguée; on fait alors une inférence.

Si vous avez compris ce qu'est une inférence, faites maintenant les exercices suivants (ces exercices s'adressent à des étudiants de niveau intermédiaire).

Exercice (stratégie: faire des inférences).

Texte 1

Jacques s'est fait voler sa bicyclette hier. Il avait encore oublié de la rentrer dans le garage; son père l'avait pourtant bien prévenu que cela n'allait pas manquer d'arriver.

À partir de ce texte, on peut faire l'inférence suivante:
  a) Jacques aura bientôt une nouvelle bicyclette.
  b) Jacques est très négligent.
  c) Jacques a voulu jouer un tour à son père.

Texte 2

Les jeunes aiment bien maintenant louer un film et le regarder à la maison. Le cinéma est devenu trop cher pour eux.

À partir de ce texte, on peut faire l'inférence suivante:
  a) Le prix des places de cinéma va augmenter bientôt.
  b) Les salles de spectacle sont complètement vides.
  c) Une partie de la population va de moins en moins au cinéma.
  (Les bonnes réponses sont b pour le texte 1 et c pour le texte 2).

Voici un autre texte qui peut également servir d'exemple pour préparer les étudiants à faire des inférences.

Texte 3

Samedi, vers 11h du matin, madame Louise Tremblay demeurant au 3, rue du Jardin à Orléans, a été victime d'un accident. En voulant nettoyer une lampe elle est tombée et a perdu connaissance. Son plus jeune fils Pierre, cinq ans, qui jouait dans la salle à manger s'est précipité à la cuisine et comme il ne pouvait pas aider sa mère il est allé chercher une voisine qui l'a conduite à l'hôpital où on l'a gardée quelques jours.

Parmi les inférences suivantes lesquelles, selon vous, pourraient dériver du texte que vous venez de lire?

   a) Madame Tremblay a au moins deux enfants.
   b) À Orléans, les accidents sont trop fréquents.
   c) Madame Tremblay déteste faire le ménage.
   d) La maison des Tremblay est très isolée.
   e) La voisine est infirmière.
   f) L'accident a été assez sérieux.

(Les bonnes réponses sont a et f).

Voici enfin une dernière activité que l'on pourrait adapter à un roman:

Exercice (stratégie: faire des inférences).

Vous venez de lire le roman X, pouvez-vous faire les inférences suivantes:

   1. Dites ce qui aurait pu arriver si tel événement ne s'était pas produit.

   2. Dites quel trait de caractère se manifeste dans tel geste posé par tel personnage.

   3. Imaginez ce que tel personnage a pu penser du héros dans telles circonstances.

   4. Quel(s) personnage(s) décrit(s) dans ce roman pourriez-vous rencontrer autour de vous?

5. Montrez en quoi l'intrigue serait différente si elle se déroulait maintenant.

Dans le *Guide pédagogique, secondaire, français langue seconde* (Cornaire et al. 1990), on retrouve également plusieurs activités qui amènent l'élève à faire des inférences, à réfléchir sur une suite d'événements; c'est le cas en particulier pour l'activité 1, après la lecture de la section 1. Cette activité se présente sous la forme d'une liste de questions auxquelles l'élève doit répondre par exemple: L'atmosphère est bien particulière, il y a du suspense dans l'air. Comment cela est-il marqué dans ce passage? Retrouve certains indices (Cahier d'activités, p.17).

Dans *Explorations: La littérature du monde français* (Schunk et Waisbrot 1990), un recueil de textes destinés aux étudiants de niveaux intermédaire et avancé (fin du secondaire et milieu universitaire), la rubrique intitulée «Réaction personnelle» qui fait suite à la lecture de chacun des textes a pour objectif général d'amener l'étudiant à faire un certain nombre d'inférences; on s'y reportera avec profit lorsqu'on voudra préparer ce type d'exercice.

Voilà donc un certain nombre de propositions méthodologiques assez souples dont l'objectif est de rendre l'apprentissage plus rapide, plus systématique et plus efficace. En effet, quel que soit le niveau (primaire, secondaire, collégial ou universitaire), toutes les pratiques pédagogiques, comme nous venons de le voir, visent à mettre l'élève ou l'étudiant en confiance, lui faire prendre plaisir aux tâches qu'il doit accomplir en lui apprenant à exploiter toutes les ressources à sa disposition pour devenir un meilleur lecteur. La didactique est riche de promesses si l'on en juge par les approches des enseignants et par les auteurs de matériels pédagogiques pour amener les élèves à réussir dans leur apprentissage de la lecture. Et c'est maintenant le rôle de la recherche d'aider à raffiner ces pratiques pédagogiques et d'apporter son aide aux enseignants pour leur permettre de franchir les obstacles qu'ils pourraient rencontrer en cours de route.

TROISIÈME PARTIE

En guise de prospective

CHAPITRE 8

Quelques tendances évolutives récentes

Comme nous l'avons vu, l'enseignement / apprentissage de la lecture a été subordonné à différentes théories ou à des ensembles de conceptions faisant intervenir à la fois des considérations d'ordre psychologique, linguistique ou sociologique dont la vérification expérimentale est souvent malaisée, étant donné le grand nombre de variables qui se trouvent en interaction. Mais ces difficultés ne devraient pas rebuter car des progrès sensibles ont été faits dans le domaine. En ce qui a trait au processus de lecture, on sait par exemple que le bon lecteur se caractérise par une habileté particulière à reconnaître les mots globalement, et qu'il construit le sens du texte en formulant des hypothèses; il vérifie ensuite ces hypothèses à partir de son bagage de connaissances et de l'information qui est contenue dans le texte parcouru.

De façon générale, comprendre, c'est donc permettre l'interaction d'un système avec un environnement donné. Parmi les différentes définitions qui ont été données de la lecture, celle de Foley (1984:83) semble faire consensus. Comprendre un texte, c'est être capable « d'aller au-delà des formes verbales et non verbales du discours afin d'en repérer les idées sous-jacentes, de les comparer à ses connaissances antérieures ... de distinguer ce qui est essentiel, ce qui est nouveau, et ainsi de mettre à jour son bagage de connaissances ».

Ce qu'il reste à faire maintenant, c'est essayer d'enrichir cette base de connaissances déjà établie sur le processus de lecture, et égale-

ment de mieux comprendre les difficultés de la lecture en langue
seconde. Bien que, comme nous venons de le voir, plusieurs pratiques pédagogiques se soient progressivement développées, le
domaine de la lecture a encore un grand besoin de données empi-
riques. Il existe en effet un certain nombre de questions auxquelles il est nécessaire d'apporter une réflexion fondamentale. Ces
questions s'articulent naturellement autour des facteurs des deux
pôles de la lecture: le lecteur et le texte. En ce qui concerne le lecteur en langue seconde, il faudra certainement s'attacher à mieux
comprendre ses besoins linguistiques et stratégiques ainsi que le
rôle que jouent certaines variables affectives dans l'apprentissage;
il y aura lieu ensuite de rechercher des façons qui permettraient
de réduire ces barrières affectives. Il faut en outre présenter à l'étudiant du matériel intéressant et qui réponde à des besoins indivi-
duels; pour ce faire il est évident que l'on doit réévaluer les critères de sélection des textes. Ce sont ces différents points que nous
allons commenter dans les pages qui suivent.

Comment répondre aux besoins linguistiques des étudiants?

La pédagogie de la communication avait relégué l'enseignement du
vocabulaire et de la grammaire au rang des accessoires. Après une
répudiation heureusement temporaire, il connaît un regain de
faveur. En regard de la lecture, les études récentes mettent de plus
en plus en évidence ce rôle indéniable que jouent la grammaire et
le vocabulaire dans le décodage des messages écrits; les mêmes études soulignent également que ces composantes ne devraient pas
être envisagées sur deux plans séparés puisque la compréhension
dépend à la fois de l'une et de l'autre et surtout de leur interaction.

La question n'est donc plus de savoir s'il faut ou non que l'étudiant
acquière ces connaissances mais plutôt de trouver des moyens pour
répondre aux besoins de grammaire et de vocabulaire de nos étudiants. Avant de soumettre des textes de lecture à l'apprenant
débutant en langue seconde, est-il nécessaire de commencer par
lui enseigner des règles de grammaire et un certain vocabulaire fondamental pour lui permettre d'atteindre un « niveau-seuil » de compétence linguistique? Si l'on répond par l'affirmative, comment
doit-on alors faire la sélection et la présentation de ces éléments?
La direction inverse, qui consiste à penser que ces connaissances
vont s'acquérir naturellement par la fréquentation extensive de

textes, aurait-elle une plus grande validité? Ces deux démarches pourraient-elles être compatibles? Par exemple, en ce qui concerne l'acquisition d'un vocabulaire « réceptif », le recours à des listes de mots (établies d'après des critères de fréquence ou de disponibilité) est-il compatible avec une méthodologie de l'enseignement du vocabulaire par le texte même? En supposant que ces problèmes soient réglés, comment faut-il répartir les activités qui consistent à présenter les éléments linguistiques et celles qui consistent à les faire pratiquer, pour être en mesure d'espérer que ces éléments survivent dans la mémoire à long terme des étudiants?

Comment assurer un bon guidage stratégique?

Si le fait de posséder une bonne compétence linguistique est un avantage certain pour le lecteur en langue seconde, d'autres variables comme la connaissance de stratégies de lecture pourraient accélérer le processus d'apprentissage. Le bon lecteur sait par exemple que l'on peut accéder au sens général d'un texte sans en avoir compris chacun des mots alors que l'étudiant en langue seconde a tendance à rester bloqué sur le premier mot qu'il ne comprend pas. Il s'agira donc de mettre l'accent sur l'activation de stratégies permettant de surmonter cette difficulté particulière ou d'autres qui ne vont pas manquer de se présenter. En ce qui a trait à ce guidage stratégique, il se pose bien entendu un certain nombre de questions et tout particulièrement la question suivante: quelles stratégies de lecture doit-on privilégier en regard d'un niveau particulier? On sait en effet que certaines stratégies peuvent mobiliser plusieurs sortes de compétences que des étudiants en début d'apprentissage ne possèdent pas nécessairement.

Les individus diffèrent dans leur façon d'apprendre et de traiter l'information et l'on utilise souvent la dichotomie analytique / globaliste pour rendre compte de ce phénomène, le globaliste ayant tendance à considérer l'ensemble alors que l'analytique est particulièrement habile à dégager les parties d'un tout. En regard de ces caractéristiques individuelles et en tenant compte également de l'âge des apprenants, y aurait-il avantage à enseigner certaines stratégies de compréhension à tel apprenant plutôt qu'à tel autre? Toujours au domaine des stratégies, il conviendrait également de se demander si l'effet de l'enseignement de stratégies de lecture persiste un certain temps et si le fait de posséder de bonnes stratégies de lecture en langue maternelle ne pourrait pas faciliter l'acquisition de stratégies en langue seconde. Enfin, la connaissance de stratégies de lecture efficace pourrait-elle d'une certaine façon compenser une composante plus faible, en l'occurrence la composante linguistique?

Comment réduire les barrières affectives?

Les facteurs affectifs semblent être importants dans l'apprentissage d'une langue seconde, même si les résultats de recherche disponibles sont encore peu nombreux. Nous avons vu, en définissant les caractéristiques de la lecture en langue seconde, que le contact avec des textes en langue étrangère peut entraîner une certaine inquiétude chez le lecteur et il conviendrait de s'intéresser à cette question. Serait-il permis de supposer que des interventions pédagogiques adaptées aux caractéristiques affectives des apprenants, et associées à un milieu scolaire à faible niveau d'inquiétude, assureraient des conditions d'apprentissage meilleures?

Voilà des questions qui se posent et auxquelles il s'agira de trouver des éléments de réponse. En dehors de ces préoccupations il est également indispensable de déterminer quels types de texte conviendraient le mieux à nos étudiants, ce qui nous conduit à parler de quelques critères qu'il faudrait peut-être considérer lors de la sélection du matériel pédagogique.

Comment procéder à la sélection des textes?
Les critères à considérer en priorité.

Comme nous l'avons vu, la lisibilité pose des problèmes particuliers de mesure, étant donné qu'il s'agit d'un rapport entre un texte et un lecteur. Par exemple, un étudiant débutant qui connaît bien le domaine référentiel d'un texte rencontrera habituellement peu de difficultés lexicales, même si une formule de lisibilité avait auparavant classé ce texte comme étant difficile pour ce niveau particulier. Il s'ensuit qu'un des premiers critères à considérer dans le choix des textes serait peut-être le caractère familier d'un domaine ou d'un sujet ou l'intérêt qu'il suscite. Les principaux agents de la motivation sont le plaisir de la découverte et le goût d'apprendre, mais pas n'importe quoi ni de n'importe quelle façon. Une connaissance nouvelle n'a de sens que dans la mesure où l'étudiant peut la rattacher à ses connaissances antérieures; le désir de se l'approprier est proportionnel à la pertinence de cette connaissance.

La sélection des textes à partir d'enquêtes menées au début du cours n'offrirait-elle pas la possibilité de rentabiliser au maximum les facteurs référentiels et les facteurs de motivation? Dans cette optique, nous proposons en appendice un exemple de questionnaire sur les habitudes de lecture de l'étudiant intitulé *Questionnaire sur les habitudes de lecture de l'étudiant en langue maternelle et en langue seconde*; ce questionnaire pourra être adapté en fonction d'un projet de lecture et d'un groupe particulier d'étudiants. Il serait également souhaitable, à la suite d'un projet de lecture particulier, de recueillir les opinions des étudiants sur les textes qu'ils ont lus et un questionnaire pourrait alors se révéler d'une grande utilité. Nous en proposons également un exemple en appendice, sous le titre: *Questionnaire sur l'évaluation de la lecture – Opinions des étudiants*.

Également au chapitre des variables, il ne faudrait pas oublier de mentionner une nouvelle fois l'importance que présentent les recherches sur la structure textuelle; ces travaux vont bon train et devraient se traduire à courte échéance par certaines remises en question concernant le choix des textes et les critères de sélection.

Comment répondre à des besoins individualisés?

Les objectifs de lecture peuvent varier d'un apprenant à l'autre surtout lorsqu'il s'agit d'apprenants adultes. Comment peut-on répondre à ces besoins? Il serait peut-être intéressant de songer, tout en conservant un fonds commun, à un programme individualisé de l'apprentissage de la lecture. Un tel programme permettrait aux étudiants, s'ils le souhaitent, de choisir leurs propres textes. Cette pratique qui tente de recréer certaines conditions de la lecture naturelle, sans pour autant perdre de vue les objectifs du cours, présente des avantages indéniables en ce qui à trait à la motivation et au développement de l'autonomie. Toutefois, cette prise en considération de besoins particuliers ne simplifie pas le travail du professeur qui devra alors s'assurer que les étudiants puissent atteindre les objectifs fixés, objectifs institutionnels aussi bien que particuliers. L'enseignant doit alors planifier des activités nombreuses et d'une grande variété. Il va sans dire que la tâche du professeur risque de devenir plus exigeante et qu'il ne pourra plus compter uniquement, comme auparavant, sur des méthodes et sur les directives proposées par leurs auteurs.

L'informatique comme apport à l'enseignement de la lecture?

Comment utiliser et explorer l'informatique dans ce domaine de l'enseignement de la lecture? Passé l'intérêt pour la nouveauté, les premières générations de didacticiels ont souvent engendré la frustration et la déception en se cantonnant dans la pédagogie de l'exercice traditionnel, surtout à caractère structural et à réponses fermées. Nous pensons cependant qu'il y a place pour un enseignement de la lecture « intelligemment » assisté par ordinateur, si l'on veut se donner la peine d'y réfléchir. Les exercices de lecture rapide de mots ou de phrases, par exemple, que l'on recommande de pratiquer quelques minutes au début de chaque cours (voir chapitre 2, Les interventions pédagogiques) pourraient être assez faciles à informatiser et il doit sans nul doute exister des possibilités pour la plupart des activités de prélecture ou de lecture.

Sans sous-estimer les difficultés inhérentes à la mise au point de logiciels destinés à l'apprentissage de la lecture, il semblerait pertinent d'explorer les possibilités de l'informatique afin de voir si l'on peut élaborer du matériel d'apprentissage qui soit compatible avec les nouvelles approches. Si tel n'est pas le cas, l'accroissement de motivation relié à l'utilisation de la machine risque d'être bien faible.

Le grand défi de l'enseignement / apprentissage de la lecture sera d'essayer d'exercer un contrôle sur plusieurs composantes en tenant de plus en plus compte de l'apprenant, de ses intérêt et de son expérience, en le stimulant par des textes bien choisis et des méthodologies actives qui ne soient pas de simples transmissions de connaissances mais qui donnent à l'apprenant des occasions plus nombreuses de choisir, de s'exprimer, et de prendre en main son apprentissage. Une telle réalisation présuppose chez l'apprenant une activité consciente et volontaire et chez le professeur un rôle de support et de guide afin de faciliter et d'accélérer l'apprentissage.

Chaque époque voit naître des idées autour desquelles un consensus se forme et chaque courant de pensée, redevable à celui qui l'a précédé, sert également de stimulant et d'inspiration à celui qui va suivre. L'enseignement des langues, et plus précisément celui de la lecture, n'a pas fait exception à cette règle, comme nous avons pu le constater en traçant à grands traits la place que la lecture a occupé en regard des approches traditionnelle, structuro-behavioriste, structuro-globale audio-visuelle, cognitive et communicative. Pour mieux cerner ce qu'est la lecture en langue seconde nous avons procédé ensuite à un détour du côté de la langue maternelle, en nous appuyant plus particulièrement sur les données théoriques passées et actuelles. Nous avons ainsi pu entrevoir quelques facettes du processus de lecture et éventuellement mieux comprendre de quelle façon l'apprentissage pourrait se réaliser. Selon les hypothèses des chercheurs, cet apprentissage pourrait résulter de démarches conscientes (le recours à certaines stratégies) conduisant progressivement à la mise en place de certains automatismes (habiletés), par l'entremise du jeu complexe des structures de connaissances contenues dans la mémoire et des activités cognitives mises en oeuvre dans la tâche compréhension (par exemple, la mémorisation et la récupération de l'information). Ceci étant précisé, nous avons alors tenté de tracer un genre de profil du lecteur en langue seconde à partir des caractéristiques de cette lecture. Comme nous l'avons souligné à plusieurs reprises, la lecture résulte d'une interaction entre un individu et un texte, et c'est ainsi que nous avons présenté dans leurs grandes lignes les modèles de Deschênes (1988) et de Moirand (1979). Nous avons ensuite cherché à mettre en relief cet élément « texte », en passant en revue certains aspects de la recherche textuelle en langue maternelle et en langue seconde.

Si les recherches demeurent un élément essentiel pour la formation du professeur, elles ne proposent aucune recette toute faite pour la salle de classe. À partir de notre expérience, surtout avec de jeunes adultes, à partir également de certaines approches d'enseignement de la lecture que l'on retrouve dans le matériel pédagogique récent, nous avons proposé quelques activités dont l'objectif est de développer le goût de la lecture chez les apprenants, tout en leur donnant des moyens pour devenir de meilleurs lecteurs.

Quelles sont les perspectives d'avenir dans le domaine? Il est clair que la réflexion doit encore se poursuivre concernant le développement et la vérification d'hypothèses toujours plus fines sur la nature des connaissances et des activités mentales mises en oeuvre durant la lecture. En ce qui concerne notre lecteur en langue seconde, les problèmes reliés à la compétence linguistique, au guidage stratégique, aux variables affectives, etc. que nous avons évoqués restent des points épineux, au centre des débats, débats destinés à se poursuivre. Les vieux problèmes de variables textuelles et de leurs effets sur la compréhension n'ont, au fil des ans, presque rien perdu de leur complexité et dans ce domaine la réflexion devra certainement se prolonger. Le micro-ordinateur qui est entré dans la didactique des langues sera utile pour l'enseignement / apprentissage de la lecture dans la mesure où les programmes seront plus ouverts et non pas uniquement de nature évaluatrice. Il reste donc des didacticiels à mettre au point ... qui ne soient pas seulement des « Petits Bescherelles » sur disquette.

Les programmes d'individualisation de la lecture qui permettent de recréer certaines conditions de la lecture naturelle, tout en répondant aux besoins des étudiants, sont également des atouts sur lesquels il conviendrait de miser. Ceci sous-entend naturellement beaucoup plus de travail pour le professeur qui devra assurer la structuration de tels programmes.

L'intérêt pour la lecture semble donc plus manifeste que jamais et cela grâce à l'enseignement qui jette souvent un certain éclairage sur des sentiers peu connus en nous montrant par exemple que certaines interventions pédagogiques semblent mieux réussir que d'autres, que les domaines d'expériences des apprenants peuvent servir de sources d'apprentissage ou encore que certaines stratégies de lecture peuvent aider à résoudre des problèmes, etc. Le matériel pédagogique en lecture, mis au point ces dernières années présente des contenus variés, pertinents, qui engagent l'apprenant dans son apprentissage et qui lui permettent de partir du bon pied et de devenir un meilleur lecteur. Il est clair que les chercheurs devront maintenant poser les problèmes à partir des besoins de l'enseignement et des enseignants et ouvrir ainsi de nouveaux horizons pour nos élèves et nos étudiants en langues secondes.

Bibliographie

Adam, J.M. 1985. « Quels types de textes? ». *Le français dans le monde* 192, 39-43.

Alderson, J.C. et A.H. Urquhart. 1984. *Reading in a Foreign Language*. London: Longman.

Barnett, M.A. 1988. *Lire pour le plaisir*. New York: Harper and Row, inc.

Bensoussan, M. et B. Laufer. 1984. « Lexical guessing in context in EFL reading comprehension ». *Journal of Research in Reading* 7,1.

Bensoussan, M. et al. 1984. « Beyond vocabulary: pragmatic factors in reading comprehension – Culture, convention, coherence and cohesion ». *Foreign Language Annals* 19.

Berman, R.A. 1984. « Syntactic components of the foreign language reading process ». In *Reading in a Foreign Language*. J.C. Alderson et A.H. Urquhart (réd.). Essex: Longman.

Bernet, L. et S. Fougères. 1986. « Mieux lire en classe, mieux lire dans la vie ». *Le français dans le monde* 199.

Bernhardt, E. 1986. « Cognitive process in L2: an examination of reading behaviours ». *Delaware Symposium on Language Studies*: *Research on Second Language Acquisition in the Classroom Setting*. J. Lantolf et A. LaBarca (réd.). Norwood, N.J.: Ablex.

Bertin, C. 1988. « Le rôle des stratégies de lecture dans la compréhension des textes ». *La revue canadienne des langues vivantes*, 33, 3.

Besse, H. 1980. « Enseigner la compétence de communication ». *Le français dans le monde* 153.

Boyer, J.Y. 1986. Le rôle de la redondance textuelle au niveau de la structure textuelle en lecture. Thèse de doctorat inédite. Ottawa: Faculté des Sciences de l'Éducation, Université d'Ottawa.

Bransford, J.D. et M.K. Johnson. 1973. « Consideration of some problems of comprehension ». In *Visual Information Processing*. W.G. Chase (éd.). New York: Academic Press.

Bransford, J.D. et N.A. McCarrell. 1975. « A sketch of a cognitive approach to comprehension: some thoughts about understanding what it means to comprehend ». In *Cognition and the Symbolic Processes*. W.B. Weimer et D.S. Palermo (réd.). Hillsdale, N.J.: Erlbaum.

Calvé, P. et R. Godbout. 1975. *Le français international*, niveau 5, (deuxième version). Montréal: Centre éducatif et culturel inc.

Calvé, P. et J.A. McNulty. 1979. *Le français international*, niveau 6. Montréal: Centre éducatif et culturel inc.

Carrell, P.L. 1983. « Three components of background knowledge in reading comprehension ». *Language Learning* 33, 2.

Carrell, P.L. et J.C. Eisterhold. 1983. « Schema theory and ESL reading pedagogy ». *TESOL* 17, 4.

Carrell, P.L. 1984. « The effects of rhetorical organization on ESL readers ». *TESOL* 18, 3.

Carrell, P.L. 1985. « Facilitating ESL reading by teaching text structure ». *TESOL* 19,4.

Carrell, P.L. 1987. « Content and formal schemata in ESL reading ». *TESOL* 21,3.

Carrell, P.L. 1988. « Interactive text processing: implications for ESL / second language reading classrooms ». In *Interactive Approach to Second Language Reading*. P.L. Carrell, J.Devine et D.E. Eskey (réd.). Cambridge: University Press.

Carrell, P.L. 1989. « Metacognitive awareness and second language reading ». *The Modern Language Journal* 73,2.

Carroll, J.B. 1971. « Current issues in psycholinguistics and second language teaching ». *Tesol* 5, 2.

Chastain, K. 1976. *Developing Second Language Skills*. (deuxième édition). Chicago: Rand McNally.

Clarke, M.A. 1988. « The short circuit hypothesis of ESL reading -or when language competence interfers with reading performance ». In *Interactive Approach to Second Language Reading*. P.L. Carrell, J.Devine et D.E. Eskey (réd.). Cambridge: University Press.

Cziko, G.A. 1980. « Language competence and reading strategies: a comparison of first and second language oral reading errors ». *Language Learning* 30, 1.

Cooper, M. 1984. « Linguistic competence of practised and unpractised non-native readers of English ». In *Reading in a Foreign Language*. J.C. Alderson et A.H. Urquhart (réd.). Essex: Longman.

Cornaire, C.M. 1985. La lisibilité: Essai d'application de la formule courte d'Henry au français langue seconde. Thèse de doctorat inédite. Montréal: Faculté des Sciences de l'Éducation, Université de Montréal.

Cornaire, C.M. 1986. «Test de closure et lisibilité?». *Contact* 5,4.

Cornaire, C.M. 1989. «Lisibilité et français langue seconde». In *L'enseignement des langues secondes aux adultes: recherches et pratiques*. R. LeBlanc, J. Compain, L. Duquette et H. Séguin (réd.). Ottawa, Paris, Londres: Les Presses de l'Université d'Ottawa.

Cornaire, C.M. et al. 1990. *Guide pédagogique, secondaire, français langue seconde*. Propositions en vue d'une pédagogie de la lecture et projet de lecture. Ministère de l'Éducation du Québec.

Cornaire, C.M. et P.M. Raymond. (à paraître). «Teaching formal schemata». Proceedings of the Comprehension – Based Learning Colloquium. Ottawa: Ottawa University. May 1989.

Coste, D. 1978. «Lecture et compétence de communication». *Le français dans le monde* 141.

Courtel, C. et M. McKinley. 1990. *Chouette* I. Guide, livre et cahier d'activités. Montréal: Centre éducatif et culturel inc.

Davison, A. et R.N. Kantor. 1982. «On the failure of reading formulae to define readable texts: a case study from adaptations». *Reading Research Quarterly* 17, 2.

Denhière, G. 1978. «Compréhension et rappel d'un récit par des enfants de 6 à 12 ans». *Bulletin de psychologie* 32, 341.

Denhière, G. 1984. «Introduction à l'étude psychologique du traitement de texte». In *Il était une fois ...Compréhension et souvenirs de récits*. G. Denhière (réd.). Lille: PUL.

Deschênes, A-J. 1988. *La compréhension et la production de textes*. Sillery, Québec: Presses de l'Université du Québec.

Devine, J. 1983. «ESL Readers' internalized models of the reading process». On *Tesol' 83*. J. Handscombe, R. Oren et B. Taylor (réd.). Washington: TESOL.

Devine, J. 1988. «The relationship between general language competence and second language proficiency». In *Interactive Approaches to Second Language Reading*. P.L. Carrell, J. Devine et D.E. Eskey (réd.). Cambridge: University Press.

van Dijk, T.A. 1980. *A Propositional System for Scoring Content in Protocols*. Amsterdam: University of Amsterdam.

van Dijk, T.A. et W. Kintsch. 1983. *Strategies of Discourse Comprehension*. New York: Academic Press Inc.

Di Pietro, R. 1987. *Strategic Interaction, Learning Languages through Scenarios*. Cambridge: University Press.

Dubin, F. et al. 1986. *Teaching Second Language Reading for Academic Purposes*. Reading, Mass.: Addison Wesley Publishing Company, Inc.

Dubin, F. et E. Olshtain. 1987. *Reading on Purpose*. Reading, Mass.: Addison Wesley Publishing Company, Inc.

Duplantie, M. 1986. « La notion d'authenticité dans les pratiques communicatives ». In *Propos sur la pédagogie de la communication en langues secondes*. A-M. Boucher, M. Duplantie, R. LeBlanc (réd.). Montréal: Centre éducatif et culturel inc.

Duplantie, M. et al. 1990. *Élans* I. Livre de l'élève et cahiers d'activités. Montréal: Centre éducatif et culturel inc.

Favreau, M. et N.S. Segalowitz. 1982. « Second language reading in fluent bilinguals ». *Applied Psycholinguistics* 3.

Flesch, R. 1974. *The Art of Readable Writing*. (édition du 25e anniversaire). New York: Harper and Row.

Floyd, P. et P.L. Carrell. 1987. « Effects on ESL reading of teaching cultural content schemata ». *Language Learning*. 37, 1.

Foley, J.A. 1984. « A rationale for the cloze procedure ». *ITL Review* 64.

Fortier, G. 1982. « La mesure de la lisibilité et la production de tests de closure par micro-ordinateur ». Ministère de l'Éducation du Québec, P.P.M.F. secondaire, Université de Montréal.

Fortier, G. et S. Berthelot. 1984. *Test de closure. Un outil pédagogique éprouvé*. Disquette et manuel de l'utilisateur. Montréal: Logidisque.

Freebody, P. et R.C. Anderson. 1983. « Effects of vocabulary difficulty, text cohesion and schema availability on reading comprehension ». *Reading Research Quarterly* 18, 3.

Frederiksen, C.H. 1972. « Effects of task-induced cognitive operations on comprehension of memory processes ». In *Language Comprehension and the Acquisition of Knowledge*. R.O. Freedle et J.B. Carrol (réd.). New York: Wiley.

Giasson, J. 1990. *La compréhension en lecture*. Québec: Gaëtan Morin éditeur.

Giasson, J. et J. Thériault. 1983. *Apprentissage et enseignement de la lecture*. Montréal: Éditions Ville-Marie.

Gilbert, L.C. 1959. « Speed of processing visual stimuli and its relation to reading ». *Journal of Educational Psychology* 50, 1.

Goodman, K.S. 1969. « Analysis of oral reading miscues: applied psycholinguistics ». *Reading Research Quarterly* 5, 1.

Goodman, K.S. 1970. « Behind the eye: what happens in reading ». In *Reading: Process and Program*. K.S. Goodman et O.S. Niles (réd.). Illinois: NCTE.

Goodman, K.S. 1976. « Reading: a psycholinguistic guessing game ». In *Theoretical Models and Processes of Reading*. H. Singer et R. Ruddell (réd.). Newark, Del.: International Reading Association.

Goodman-Dreyer, L. 1984. « Readability and responsibility ». *Journal of Reading*. 27, 4.

Gough, P.B. 1972. « One second of reading ». In *Language by Ear and by Eye*. J.F. Kavanagh et I.G. Mattingly (réd.). Mass.: MIT Press.

Grelet – Tréville, M-C. 1990. Rôle des congénères interlingaux dans le développement du vocabulaire réceptif: application au français langue seconde. Thèse de doctorat inédite. Montréal: Faculté des Sciences de l'Éducation, Université de Montréal.

Grellet, F. 1981. *Developing Reading Skills*. Cambridge: Cambridge University Press.

Guberina, P. 1965. « La méthode audio-visuelle structuro globale ». *Revue de phonétique appliquée* 1.

Gunning, R. 1952. *The Technique of Clear Writing*. New York: McGraw Hill.

Hatch, E. 1974. « Research on reading in a second language ». *Journal of Reading Behaviour* 6, 1.

Henry, G. 1975. *Comment mesurer la lisibilité*. Bruxelles, Paris: Labor, Nathan.

Hosenfeld, C. 1976. « Learning about learning: discovering our students' strategies ». *Foreign Language Annals* 9, 2.

Hosenfeld, C. et al. 1981. « Second language reading: a curricular sequence for teaching reading strategies ». *Foreign Language Annals* 14, 5.

Hudson, T. 1982. « The effects of induced schemata on the « short-circuit » in L2 reading performance ». *Language Learning* 32, 1.

Hymes, D. 1971. « On communicative competence ». In *Sociolinguistics*. J.B. Pride et J. Holmes (réd.). Harmonds Worth: Penguin Education.

Jakobson, R. 1963. *Essais de linguistique générale*. Paris: Éditions de minuit.

Jian, G. et R.M. Hester. 1974. *Découverte et création*. Chicago: Rand McNally, College Publishing Company.

Johnson, P. 1981. « Effects on reading comprehension of language complexity and cultural background of a text ». *TESOL* 15, 2.

Kandel, L. et A.A. Moles. 1958. « Application de l'indice de Flesch à la langue française ». *Cahiers d'études de la radio-télévision* 19.

Kern, R.G. 1989. « Second language reading strategy instruction: its effects on comprehension and word inference ability ». *The Modern Language Journal* 73,2.

Kintsch, W. 1974. *The Representation of meaning in Memory*. Hillsdale, N.J.: Lawrence Erlbaum.

Kintsch, W. et T.A. van Dijk. 1978. « Toward a model of text comprehension and production ». *Psychological Review* 85, 5.

Kintsch, W. et T.A. van Dijk. 1984. « Vers un modèle de la compréhension et de la production de texte ». In *Il était une fois ... Compréhension et souvenirs de récits.* G. Denhière (réd.). Lille: PUL.

Klare, G. 1983. *The Measurement of Readability.* Ames: Iowa State University Press.

Krashen, S.D. 1982. *Principles and Practice in Second Language Acquisition.* Oxford: Pergamon Press.

Laroche, J.M. 1979. « Readability measurement for foreign language materials ». *System* 7.

Lavigne, C. et O. Dot. 1986. *Pour lire plus vite et mieux.* Paris: Retz.

Lehmann, D. et S. Moirand. 1980. « Une approche communicative de la lecture ». *Le français dans le monde* 153.

Lindsay, P. et D. Norman. 1980. *Traitement de l'information et comportement humain. Une introduction à la psychologie.* Paris, Montréal: Études vivantes.

McConkie, G.W. et D. Zola. 1981. « Language constraints and the functional stimuli in reading ». In *Interactive Processes in Reading.* C.A. Perfetti et A.M. Lesgold (réd.), Hillsdale, N.J.: Lawrence Erlbaum.

McLaughlin, B. et al. 1983. « Second language learning: an information processing perspective ». *Language Learning* 33, 2.

Meyer, B.J.F. et B.J. Bartlett. 1985. *A Plan for Reading: a Strategy to Improve Reading Comprehension and Memory for Adults.* Arizona: Research report n° 14, Arizona State University.

Meyer, B.J.F. 1975. *The Organization of Prose and its Effects on Memory.* Amsterdam: North Holland Publishing Company.

Moirand, S. 1977. « Communication écrite et apprentissage initial ». *Le français dans le monde* 133.

Moirand, S. 1979. *Situations d'écrit.* Paris: Clé International.

Nuttall, C. 1982. *Teaching Reading Skills in a Foreign Language.* London: Heinemann Educational Books.

Oller, J.W., Jr. 1979. *Language Tests at School: A Pragmatic Approach.* London: Longman.

O'Malley, J.M. et al. 1985 a. « Learning strategies used by beginning and intermediate ESL students ». *Language Learning* 35, 1.

O'Malley, J.M. et al. 1985 b. « Learning strategies applications with students of English as a second language ». *Tesol* 19, 3.

OMaggio, A.C. 1979. « Pictures and second language comprehension: do they help? » *Foreign Language Annals* 12,9.

Oxford, R. et D. Crookall. 1989. « Research on language learning strategies; methods, findings, and instructional issues ». *The Modern Language Journal* 73, 4.

Paris, S.G. et al. 1983. « Becoming a strategic reader ». *Contemporary Educational Psychology* 8.

Perfetti, C.A. 1985. *Reading Ability*. New York: Holt, Rinehart and Winston.

Phillips, J.K. 1984. « Practical implications of recent research in reading ». *Foreign Language Annals* 17,4.

Raymond, P.M. 1990. The effects of structure strategy. Training and recall of expository prose for university students reading french as a second language. Thèse de doctorat inédite. Montréal: Faculté des Sciences de l'Éducation, Université de Montréal.

Reiss, M-A. 1985. « The good language learner. Another look ». *La Revue canadienne des langues vivantes* 41, 3.

Reder, L.M. et J.R. Anderson. « A comparison of texts and their summaries: memorial consequences ». *Journal of Verbal Learning and Verbal Behaviour* 19, 2.

Richaudeau, F. 1969. *La lisibilité*. Paris: Retz.

Richaudeau, F. 1978. « Une nouvelle formule de lisibilité ». *Communication et langage* 44.

Rossi, J-P. 1985. *Les mécanismes de la lecture*. Paris: Publications de la Sorbonne.

Rumelhart, D.E. 1977. « Toward an interactive model of reading ». In *Attention and Performance*. VI.S. Dornic (réd.). Hillsdale, N.J.: Lawrence Erlbaum.

Rumelhart, D.E. 1980. « Schemata: the building blocks of cognition ». In *Theoretical Issues in Reading Comprehension*. R.J. Spiro, B.C. Bruce et W.F. Brewer (réd.). Hillsdale, N.J.: Lawrence Erlbaum.

Sanford, A.J. et S.C. Garrod. 1981. *Understanding Written Language*. New York: John Wiley and Sons.

Schunk, S. et J. Waisbrot. 1990. *Explorations: la littérature du monde français*. Boston: Heinle et Heinle Publishers, Inc.

Segalowitz, N.S. 1986. « Skilled reading in a second language ». In *Language Processing in Bilinguals: Psycholinguistic and Neuropsychological Perspectives*. J. Vaid (réd.). Hillsdale, N.J.: Lawrence Erlbaum.

Singer, H. 1983. « A century of landmarks in reading and learning from text at the high school level: research, theories and instructional strategies ». *Journal of Reading* 26, 4.

Ska, B. 1983. « Contexte, texte ou mémoire: de quoi dépend la compréhension d'un message ». *Repères* 2. Montréal: Université de Montréal, Faculté des Sciences de l'éducation.

Smith, F. 1971. *Understanding Reading*, a Psycholinguistic Analysis of Reading and Learning to Read. New York: Holt, Rinehart and Winston.

Smith, F. 1978. *Understanding Reading*, a Psycholinguistic Analysis of Reading and Learning to Read (deuxième édition). New York: Holt, Rinehart and Winston.

Smith, F. 1982. *Understanding Reading*, a Psycholinguistic Analysis of Reading and Learning to Read (troisième édition). New York: Holt, Rinehart and Winston.

Smith, S.P. 1985. « Comprehension and comprehension monitoring by experienced readers ». *Journal of Reading* 28, 4.

Stanovich, K.E. 1980. « Toward an interactive compensatory model of individual differences in the development of reading fluency ». *Reading Research Quarterly* 16, 1.

Surridge, M. 1984. « L'utilité d'un vocabulaire structuré pour l'étudiant anglophone de français langue seconde ». *La Revue canadienne des langues vivantes* 40, 4.

Swaffar, J. 1985. « Reading authentic texts in a foreign language: a cognitive model ». *The Modern Language Journal* 69,1.

Tardif, C. et R-H. Arseneault. 1986. *Radio-Puce*. Collection OPUS 2000. Livre et cahiers d'activités. Montréal: Centre éducatif et culturel inc.

Tierney, R.S. et J.W. Cunningham. 1984. « Research on teaching reading comprehension ». In *Handbook of Reading Research*. P.D. Pearson (réd.). New York: Longman.

Tremblay, R. et al. 1984. *Connecting*. Level one. Module Planning and Teacher's Guide. Montréal: Centre éducatif et culturel inc.

Tremblay, R. 1989. *Compréhension écrite*. Plan de perfectionnement en français langue seconde. Montréal: Centre éducatif et culturel inc.

Valiquette, J. 1979. *Les fonctions de la communication, au coeur d'une didactique renouvelée de la langue maternelle*. Ministère de l'Éducation du Québec.

Vorhaus, R. 1984. « Strategies for reading in a second language ». *Journal of Reading* 27, 5.

Williams, E. 1989. « Reading in a foreign language at intermediate and advanced levels with particular reference to English ». *Language Teaching* 22,4.

Appendice

Questionnaire sur les stratégies de lecture[1]
What do you do when you read?

In order for us to teach better, we need to know more about how you read French. Please complete each statement according to what you do as you read in French; your gut reaction to each question is the best you can give.

Try to give only one answer by circling the corresponding letter for each statement, but for certain questions you may give more than one answer. You have 10 minutes to complete this questionnaire.

Thank you very much for your help!

1. When I read French, I pay most attention to
   a) what each word means.
   b) what each sentence means.
   c) what the entire passage means.

2. When a French reading passage has a title as well as illustrations, I read them or look at them,
   a) and I imagine what the passage might be about.
   b) but I don't think much about them.
   c) but I don't consider them as I read the passage.

---

1 Plus spécifiquement à l'usage d'anglophones qui étudient le français.

3. When I read in French,
   a) I feel uncomfortable if I don't know what most of the words mean.
   b) I skip unknown words and continue reading.
   c) I look up most of the words I don't know.

4. When I read in French,
   a) I think ahead as to what might come next, even if I know I can be wrong.
   b) I read straight through each sentence.
   c) I don't try to anticipate how the passage ends.

5. To figure out what an unfamiliar word might mean,
   a) I note whether the word looks like an English or other French word I know.
   b) I try to guess it contextually (in using preceding and succeeding sentences and paragraphs).
   c) I look it up in the dictionary.

6. When I begin reading a French passage,
   a) it is a waste of time to think about how it relates to what I already know.
   b) at first, I think about what I know about the content of the passage.
   c) I just concentrate on the words.

7. When I read French,
   a) it is important to pay attention to the organization of the passage (author's plan).
   b) it is a waste of time to look for the author's plan.
   c) the organization of the passage is irrelevant.

QUESTIONNAIRE SUR LES HABITUDES DE LECTURE DE L'ÉTUDIANT EN LANGUE MATERNELLE ET EN LANGUE SECONDE

Nom de l'étudiant: _____

Langue maternelle

1. Aimez-vous lire? (Cochez l'une ou l'autre des réponses)

   (1) _____ beaucoup

   (2) _____ un peu

   (3) _____ pas beaucoup

   Si vous avez choisi (3), pouvez-vous dire pourquoi?

   _____

   _____

2. En dehors des lectures de classe, combien de temps consacrez-vous à la lecture, chaque semaine? (Cochez l'une ou l'autre des réponses)

   (1) _____ 1 heure

   (2) _____ 2 heures

   (3) _____ davantage

3. Que lisez-vous de préférence? (Cochez l'une ou l'autre des réponses)

   (1) _____ des bandes dessinées

   (2) _____ des livres d'aventure

   (3) _____ des livres scientifiques

   (4) _____ des magazines

(5) _____ des revues sportives

(6) _____ des romans

(7) _____ autres (précisez) _____

_____

Pourquoi aimez-vous particulièrement cette lecture ou ce type de livre?

_____

_____

4. Q'avez-vous lu ces deux dernières semaines? (Précisez le ou les titre(s))

(1) _____

(2) _____

(3) _____

Langue seconde

1. Lisez-vous en français? (Cochez 1 ou 2)

(1) _____ oui

(2) _____ non

Si vous avez choisi (1), dites ce que vous aimez lire. Si vous avez choisi (2), dites brièvement pourquoi vous ne lisez pas en français.

_____

_____

_____

_____

2. Aimeriez-vous que votre professeur de français vous laisse choisir quelques-unes des lectures pour la salle de classe? (Cochez 1 ou 2)

(1) _____ oui

(2) _____ non

Pouvez-vous dire pourquoi?

_____

_____

_____

_____

QUESTIONNAIRE SUR L'ÉVALUATION DE LA LECTURE
OPINIONS DES ÉTUDIANTS[1]

Vous devez avoir des commentaires à faire sur le texte (le récit, le roman, etc.) que nous venons de lire, pourriez-vous m'en faire part?

Si vous avez trouvé la lecture intéressante, pouvez-vous répondre à la partie A du questionnaire?

Si vous avez trouvé la lecture difficile, pouvez-vous répondre à la partie B du questionnaire:

---

1   Ce questionnaire devra être adapté en fonction du type de lecture que l'on aura fait pratiquer (récit, roman, etc.).

PARTIE A – ÉVALUATION DE LA LECTURE

Titre de la lecture _____

Nom de l'étudiant _____

Comme vous avez trouvé la lecture intéressante, pouvez-vous faire quelques commentaires sur les points suivants?

1. Quels personnages (du roman) vous ont intéressé? Pourquoi?

_____

_____

_____

_____

2. Quels commentaires pouvez-vous faire sur le déroulement de l'action ou de la représentation des idées?

_____

_____

_____

_____

3. Est-ce que vous recommanderiez cette lecture à des camarades? Pouvez-vous dire pourquoi, et ce qui vous a le plus intéressé?

_____

_____

_____

_____

4. Quels commentaires aimeriez-vous faire sur les lectures à venir?

_____

_____

_____

_____

5. Avez-vous utilisé des stratégies de lecture? (Cochez la case appropriée)

    ☐ oui   ☐ non

    Si vous avez répondu oui, lesquelles?

    (1) _____

    (2) _____

    (3) _____

    (4) _____

    (5) _____

    Si vous n'en avez pas utilisé, pouvez-vous dire pourquoi?

    _____

    _____

PARTIE B – ÉVALUATION DE LA LECTURE

Titre de la lecture _____

Nom de l'étudiant _____

Comme vous avez trouvé la lecture difficile, pouvez-vous me dire pourquoi? La liste suivante va vous aider à répondre. (Cochez la case appropriée)

1. Qu'est-ce qui n'a pas marché?

   Le vocabulaire est trop difficile?

   ☐ oui   ☐ non

   La grammaire est trop difficile?

   ☐ oui   ☐ non

   Il y a trop de personnages?

   ☐ oui   ☐ non

   Le(s) héro(s) manque(nt) d'intérêt?

   ☐ oui   ☐ non

   Il y a trop d'événements ou d'actions qui se produisent en même temps?

   ☐ oui   ☐ non

L'auteur présente trop de faits, trop d'idées à la fois?

☐ oui   ☐ non

L'histoire manque d'action?

☐ oui   ☐ non

Il y a trop de passages narratifs (commentaires sur des objets, des décors ou sur l'environnement)?

☐ oui   ☐ non

L'histoire manque de suspense?

☐ oui   ☐ non

L'histoire manque de vraisemblance?

☐ oui   ☐ non

2. En quelques lignes, pouvez-vous me dire pourquoi vous ne recommanderiez pas cette lecture à des camarades?

_____

_____

_____

_____

3. Avez-vous utilisé des stratégies de lecture? (Cochez la case appropriée)

☐ oui   ☐ non

Si vous avez répondu oui, lesquelles?

(1) _____

(2) _____

(3) _____

(4) _____

(5) _____

Si vous n'en avez pas utilisé, pouvez-vous dire pourquoi?

_____

_____

4. Qu'est-ce que vous aimeriez qu'on lise maintenant?

_____

_____